COLLECTION IDÉES

D1350818

Jean-Jacques Rousseau

Discours
sur l'origine
et les fondements
de l'inégalité
parmi les hommes

PRÉSENTATION PAR
BERTRAND DE JOUVENEL

Gallimard

L'Inégalité est le second Discours de Rousseau, écrit comme le premier en réponse à une question mise au concours par l'Académie de Dijon et annoncée dans le Mercure. Entre les deux annonces, l'intervalle est de quatre années (octobre 1749 et novembre 1753) : les deux rédactions ont pris chacune six mois environ. Mais l'auteur de la première était inconnu, l'auteur de la seconde est célèbre. La gloire est venue à Rousseau tout d'un coup, par la publication en 1750 (il a trente-huit ans) du Discours sur les Sciences et les Arts. Cet ouvrage a fait un effet prodigieux, allumant une immense controverse et celle-ci a formé la principale occupation de Rousseau jusqu'à la rédaction du second Discours. Ce second Discours doit être situé dans le fil de la controverse excitée par le premier : Rousseau reprend sous un autre angle le thème de la corruption progressive qu'il avait abordé dans le premier Discours.

Ce thème a hanté toute la vie de Rousseau et hante toute son œuvre. A mesure qu'il avance en âge, Rousseau, obsédé par le même problème, le saisit de mieux en mieux et le formule plus exactement. Par rapport au traitement tardif des Dialogues (vers 1774), les deux Discours apparaissent comme des fanfares d'ouverture, plus éclatantes que substantielles. C'est pourquoi l'on a cru bon de fonder cette introduction sur les expressions les plus mûries du thème fondamental.

« *Si tous les hommes me ressemblaient, il régnerait
sans doute une extrême langueur dans leur industrie :
ils auraient peu d'activité et n'en auraient que par brusques
et rares secousses ; mais ils vivraient entre eux dans une
très douce société. Pourquoi n'y vivent-ils pas ainsi* [1] *?*

Voilà comment Rousseau énonce, à la fin de sa vie, la
question qui a inspiré, à partir du Discours des Sciences
et des Arts, tout le développement de son œuvre. Osons
dire sommairement sa réponse : *les rapports humains
sont doux tandis que la sympathie en est seule cause, ils
s'aigrissent à mesure qu'ils sont commandés par l'utilité.*

Rousseau se représente très clairement l'évolution
sociale comme un progrès successif dans l'ampleur et la
complexité de l'association de travail, qui permet à l'homme
de satisfaire, et donc aussi d'éprouver, de nouveaux
besoins. Mais il lui semble qu'à mesure que l'homme
dépend plus de ses semblables pour la satisfaction de ses
besoins, ses rapports avec eux par là se corrompent.
« *Le méchant n'est méchant qu'à cause du besoin qu'il
a des autres, que ceux-ci ne le favorisent pas assez, que
ceux-là lui font obstacle, et qu'il ne peut ni les employer
ni les écarter à son gré* [2]. »

Dans l'Age d'Or qu'il imagine, les hommes n'étaient
point méchants, comme n'ayant pas besoin les uns des
autres : « *Tant qu'ils ne s'appliquèrent qu'à des ouvrages
qu'un seul pouvait faire, et qu'à des arts qui n'ont pas
besoin du concours de plusieurs mains, ils vécurent
libres, sains, bons et heureux autant qu'ils pouvaient
l'être par leur nature, et continuèrent à jouir entre eux
des douceurs d'un commerce indépendant* [3]. »

---

(1) *Rousseau, juge de Jean-Jacques*, Second Dialogue.
(2) *Ibidem.*
(3) *Discours de l'Inégalité.*

Ce qu'il entend par « commerce indépendant », ce sont des rencontres gratuites comme celles qu'il nous dépeint formatrices des premières langues. Aux sources, « les jeunes filles venaient prendre de l'eau pour le ménage, les jeunes hommes venaient abreuver leurs troupeaux... Là se firent les premières fêtes : les pieds bondissaient de joie, le geste empressé ne suffisait plus, la voix l'accompagnait d'accents passionnés... Là fut enfin le vrai berceau des peuples, et du pur cristal des fontaines sortirent les premiers feux de l'amour [1]. »

Les premières langues ainsi nées, il les appelle « filles du plaisir et non du besoin » : l'expression est forte, il suffit de la transporter aux relations sociales pour entendre ce qu'il veut dire selon qu'il les nomme pures ou corrompues.

Chez l'homme de la société moderne, ces relations sont fondées sur les besoins : de là cette corruption dont Rousseau a pu observer les manifestations ; rien de tel chez l'homme de la nature : comment Rousseau le sait-il ? Aussi par observation, mais intérieure. « D'où le peintre et l'apologiste de la nature, aujourd'hui si défigurée et calomniée, peut-il avoir tiré son modèle, si ce n'est de son propre cœur ? Il l'a décrit comme il se sentait lui-même [2]. »

Donc c'est Rousseau tel qu'il se voit qui nous fera connaître l'homme de la nature : « En un mot, ses amusements, ses plaisirs sont innocents et doux comme ses travaux, comme ses penchants : il n'y a pas dans son âme un goût qui soit hors de la nature, ni coûteux ou criminel à satisfaire [3]... »

Nous voilà préparés à comprendre la déclaration qui se trouve dans l'Inégalité :

« Les hommes sont méchants ; une triste et continuelle expérience dispense de la preuve ; cependant l'homme est

(1) *Essai sur l'origine des langues.*
(2) *Troisième Dialogue.*
(3) *Second Dialogue.*

*naturellement bon, je crois l'avoir démontré ; qu'est-ce
donc qui peut l'avoir dépravé à ce point sinon les changements survenus dans sa constitution, les progrès qu'il a
faits et les connaissances qu'il a acquises? Qu'on admire
tant qu'on voudra la Société humaine, il n'en sera pas
moins vrai qu'elle porte nécessairement les hommes à
s'entre-haïr à proportion que leurs intérêts se croisent* [1]... »

Cette citation s'éclaire par la précédente : si les hommes
sont méchants, c'est parce qu'ils contractent dans la
société des goûts dont la satisfaction est coûteuse ou criminelle. Cela paraît bien fort : les désirs qu'inspirent
les biens de fortune ne sont point si violents. Rousseau
les estime capables d'être portés à l'extrême par l'amour-
propre : naturel et légitime est « l'amour de soi », tandis
que l'amour-propre est un produit de la société.

« L'amour-propre est toujours irrité ou mécontent,
parce qu'il voudrait que chacun nous préférât à tout et
à lui-même, ce qui ne se peut ; il s'irrite des préférences
qu'il sent que d'autres méritent, quand même ils ne les
obtiendraient pas ; il s'irrite des avantages qu'un autre
a sur nous, sans s'apaiser par ceux dont il se sent dédommagé. Le sentiment de l'infériorité à un seul égard empoi-
sonne alors celui de la supériorité à mille autres, et l'on
oublie ce que l'on a de plus, pour s'occuper uniquement
de ce qu'on a de moins. Vous sentez qu'il n'y a pas à tout
cela de quoi disposer l'âme à la bienveillance.

« Si vous me demandez d'où naît cette disposition à
se comparer, qui change une passion naturelle et bonne
en une autre factice et mauvaise, je vous répondrai
qu'elle vient des relations sociales, du progrès des idées,
et de la culture de l'esprit. Tant qu'occupé des seuls besoins
absolus on se borne à rechercher ce qui nous est vraiment
utile, on ne jette guère sur d'autres un regard oiseux ;
mais à mesure que la société se resserre par le lien des*

---

(1) *Inégalité* note IX.

besoins mutuels, à mesure que l'esprit s'étend, s'exerce et s'éclaire, il prend plus d'activité, il embrasse plus d'objets, saisit plus de rapports, examine, compare; dans ces fréquentes comparaisons, il n'oublie ni lui-même ni ses semblables, ni la place à laquelle il prétend parmi eux. Dès qu'on a commencé de se mesurer ainsi l'on ne cesse plus, et le cœur ne sait plus s'occuper désormais qu'à mettre tout le monde au dessous de nous. Aussi remarque-t-on généralement, en confirmation de cette théorie, que les gens d'esprit, et surtout les gens de lettres, sont de tous les hommes ceux qui ont la plus grande intensité d'amour-propre, les moins portés à aimer, les plus portés à haïr [1]. »

Contrastez le passage suivant où Rousseau peint Jean-Jacques : « *Toujours occupé de lui-même ou pour lui-même, et trop avide de son propre bien pour avoir le temps de songer au mal d'un autre, il ne s'avise point de ces jalouses comparaisons d'amour-propre, d'où naissent les passions haineuses dont j'ai parlé. J'ose même dire qu'il n'y a point de constitution plus éloignée que la sienne de la méchanceté; car son vice dominant est de s'occuper de lui plus que des autres, et celui des méchants, au contraire, est de s'occuper des autres plus que d'eux [2]...* »

Ce dernier trait est bien caractéristique : le méchant est celui qui s'occupe des autres, n'importe qu'il recherche leurs services pour sa richesse et son ostentation, ou qu'il recherche leur bonne opinion pour sa réputation ou sa puissance! Mais ce méchant se rend malheureux: car les services qu'il s'est acquis ne lui suffisent pas, car les opinions qu'il a voulu gagner lui échappent. Dans le temps même où il réussit, il ne fait que se rendre esclave: « *Ta liberté, ton pouvoir, ne s'étendent qu'aussi loin que tes*

---

(1) *Second Dialogue.*
(2) *Ibidem.*

forces naturelles, et pas au-delà; tout le reste n'est qu'esclavage, illusion, prestige. La domination même est servile, quand elle tient à l'opinion; car tu dépends des préjugés de ceux que tu gouvernes par les préjugés. Pour les conduire comme il te plaît, il faut te conduire comme il leur plaît... Le seul qui fait sa volonté est celui qui n'a pas besoin, pour le faire, de mettre les bras d'un autre au bout des siens : d'où il suit que le premier de tous les biens n'est pas l'autorité mais la liberté. L'homme vraiment libre ne veut que ce qu'il peut, et fait ce qui lui plaît. Voilà ma maxime fondamentale[1]. »

La question mise au concours par l'Académie de Dijon avait été formulée dans les termes suivants : « Quelle est l'origine de l'inégalité parmi les hommes, et si elle est autorisée par la Loy naturelle. » Or la seconde partie du sujet n'a pas été traitée par Rousseau, elle est dépêchée dédaigneusement dans les cinq ou six lignes finales où l'on remarquera d'ailleurs que l'inégalité politique (le contraste commandement-obéissance) est citée avant l'inégalité de richesse. Rousseau indique clairement que la dénonciation des inégalités régnantes est un thème banal, auquel il ne saurait être rien ajouté et que le problème intéressant est la genèse de cette inégalité.

Tout le Discours est consacré ostensiblement à la genèse historique de l'inégalité; mais nous reconnaissons qu'au-delà de cette genèse historique, sa préoccupation s'attache à la genèse logique. « Origine » signifie commencement mais signifie aussi source. Ce qui a eu un commencement peut avoir une fin, mais ce qui est alimenté par une source ne peut cesser d'être que par extinction de la source. En tant que l'inégalité est un produit historique, elle

---

(1) *Émile*, Livre II.

peut être détruite ou réduite par un « tournant de l'histoire ». En tant qu'elle est établie, consacrée par des institutions, et qu'elle tient à ces institutions, il paraîtra nécessaire et suffisant d'abolir ces institutions : ainsi la Révolution française abolira l'institution nobiliaire et la Révolution russe l'institution de la propriété. Rousseau, qui est foncièrement évolutionniste, a très bien senti que l'avenir apporterait de grands bouleversements institutionnels : cela n'a point suffi à le rendre optimiste : il évoque un ouvrage qui pourrait être écrit « où l'on dévoilerait toutes les faces différentes sous lesquelles l'inégalité s'est montrée jusqu'à ce jour, et pourra se montrer dans les siècles futurs, selon la nature de ces gouvernements, et les révolutions que le temps y amènera nécessairement » [1].

C'est indiquer clairement qu'autant il est possible de détruire les inégalités sociales sous des aspects qui choquent présentement, autant il faut s'attendre à la voir se manifester sous de nouveaux aspects. Et pourquoi donc ? Parce que la source du phénomène demeure jaillissante. « Si c'était ici le lieu d'entrer dans des détails, j'expliquerais facilement comment l'inégalité de crédit et d'autorité devient inévitable entre les particuliers, sitôt que réunis en une même Société, ils sont forcés de se comparer entre eux, et de tenir compte des différences qu'ils trouvent dans l'usage continuel qu'ils ont à faire les uns des autres [2]. »

Cette phrase permet d'espérer l'abolition des inégalités qui sont fondées par le passé et ne correspondent plus à l'usage présent que les hommes font les uns des autres, mais annonce comme inévitable un processus d'émergence d'inégalités nouvelles présentant cette correspondance. Ce qui suggère un ouvrage sur les métamorphoses de l'inégalité sociale au cours de l'évolution.

(1) et (2) *Inégalité*, seconde partie.

*Métamorphose et non suppression, car le progrès et l'iné-
galité apparaissent à Rousseau compagnons inévitables :
« Je remarquerais combien ce désir universel de réputation,
d'honneurs, et de préférences qui nous dévore tous, exerce
et compare les talents et les forces... (nous lui devons) ce
qu'il y a de meilleur et de pire parmi les hommes* [1]... »
En somme c'est le principe même du progrès.*

*Ce qui intéresse profondément Rousseau, c'est la
genèse psychologique de l'inégalité. Pourtant le Discours
traite principalement de la genèse historique. A cet égard,
sa lecture peut être facilitée par la constatation que l'histoire sociale du genre humain, au cours des millénaires,
est éclairée pour Rousseau par l'histoire sociale de la
Suisse au cours de quelques générations.*

    *C'est ce que l'on peut voir lorsqu'il nous décrit les
Suisses faisant paître leurs troupeaux propres sur des
terres communes, pratiquant la culture « épars sur leurs
rochers », et l'hiver isolés dans leurs demeures particu-
lières. « Les communications étaient toujours pénibles,
quand les neiges et les glaces achevaient de les fermer,
chacun dans sa cabane était forcé de se suffire à lui-même
et à sa famille : de là l'heureuse et grossière industrie ;
chacun exerçait dans sa maison tous les arts nécessaires ;
tous étaient maçons, charpentiers, menuisiers, charrons.
Les rivières et les torrents qui les séparaient les uns des
autres donnaient en revanche à chacun les moyens de se
passer de ses voisins... chacun vivant sur son sol parvint
à en tirer tout son nécessaire, à s'y trouver au large, à ne
désirer rien au-delà. Les intérêts, les besoins ne se croisant
point et nul ne dépendant d'un autre, tous n'avaient entre*

---

(1) *Inégalité*, seconde partie.

eux que des liaisons de bienveillance et d'amitié [1]*... »*
*C'est illustré par un exemple plus proche de nous, l'état
idyllique où les relations sont filles du plaisir et non
du besoin.*

« *Mais ces hommes rustiques... en se défendant contre
les autres nations apprirent à les connaître.* » Et c'est là,
dans la pensée de Rousseau, un moyen de corruption :

« *Tout ce qui facilite la communication entre les différentes nations, porte aux unes non les vertus des autres
mais leurs crimes, et altère chez toutes les mœurs qui sont
propres à leur climat et à la constitution de leur gouvernement* [2]. » Les Suisses entrés au service des princes
étrangers comme mercenaires contractèrent de nouveaux
besoins : « *Insensiblement ils s'avilirent et ne furent plus
que des mercenaires. Le goût de l'argent leur fit sentir
qu'ils étaient pauvres; le mépris de leur état a détruit
insensiblement les vertus qui en étaient l'ouvrage...
De là l'introduction du commerce, de l'industrie et du
luxe, qui liant les particuliers à l'autorité publique par
leurs métiers et par leurs besoins, les fait dépendre de ceux
qui gouvernent beaucoup plus qu'ils n'en dépendaient
dans leur état primitif* [3]. »

*Les conseils qui sont à présent donnés aux peuples que
l'on dit « sous-développés » et n'importe que ces conseils
proviennent d'experts occidentaux ou soviétiques, sont en
directe opposition avec la doctrine de Rousseau. Que les*

(1) *Projet de Constitution pour la Corse.* Voir aussi la description
des Montagnons des environs de Neuchâtel dans la *Lettre à d'Alembert.*
Notez qu'elle s'ouvre par : « Je me souviens d'avoir vu dans ma
jeunesse... » Il ne s'agit donc pas d'une fantaisie d'imagination. Cela
a pu être l'état du genre humain puisque Rousseau même a eu
l'occasion de l'observer.
(2) Préface de *Narcisse*, note *d.*
(3) *Corse.*

familles agricoles se suffisent à elles-mêmes, c'était aux yeux de Rousseau la garantie de leur indépendance : qu'elles deviennent vendeuses et acheteuses, c'est la condition essentielle du développement. Il faut pousser la division du travail, bonne parce qu'elle accroît la productivité, mauvaise dit Rousseau parce qu'elle accroît la dépendance. Nécessaire est l'esprit d'entreprise ; c'est toujours captation des forces d'autrui, mauvaise aux yeux de Rousseau. Il est hostile à l'introduction de nouveaux besoins et à l'émulation, regardés par les experts comme excitants nécessaires de la croissance. Combien de fois n'a-t-on pas entendu des amis indiens déplorer comme obstacle à leur progrès la faiblesse dans leur pays des sentiments que Rousseau condamne !

Faut-il donc repousser la pensée de Rousseau comme une rêverie nostalgique ? Tel est le parti que prirent ses amis les Encyclopédistes, à mesure qu'il développait sa pensée, se tournant enfin en ennemis. N'avons-nous rien à apprendre de ce grand homme et, qui plus est, de cet homme profondément attachant ? Si fait ! Il nous empêche d'oublier, dans l'enivrement de nos succès technologiques, que la douceur des mœurs est d'immense importance. En le lisant nous sommes avertis que c'est là le domaine où nous risquons de subir des pertes en contrepartie de nos succès matériels. Il n'est point niable que nos progrès ont amélioré la condition des travailleurs et permis d'objectiver la préoccupation sociale en institutions réparatrices. Nous sommes en meilleure posture à bien des égards que si nous eussions suivi les conseils de Rousseau. Mais n'y a-t-il point des aspects moins mesurables de la vie moderne auxquels il nous invite à prendre garde ?

Bertrand de Jouvenel.

*Non in depravatis, sed in his quæ bene
secundum naturam se habent, consi-
derandum est quid sit naturale.*

Aristot. *Politic.* I. 2.

A LA RÉPUBLIQUE DE GENÈVE

MAGNIFIQUES, TRÈS HONORÉS,
ET SOUVERAINS SEIGNEURS,

Convaincu qu'il n'appartient qu'au Citoyen vertueux de rendre à sa Patrie des honneurs qu'elle
puisse avouer, il y a trente ans que je travaille à meriter
de vous offrir un hommage public ; et cette heureuse
occasion suppléant en partie à ce que mes efforts n'ont
pû faire, j'ai cru qu'il me seroit permis de consulter
ici le zéle qui m'anime, plus que le droit qui devroit
m'autoriser. Ayant eu le bonheur de naître parmi
vous, comment pourrois-je mediter sur l'égalité que la
nature a mise entre les hommes et sur l'inégalité qu'ils
ont instituée, sans penser à la profonde sagesse avec
laquelle l'une et l'autre, heureusement combinées dans
cet État, concourent de la maniére la plus approchante
de la loi naturelle et la plus favorable à la societé, au
maintien de l'ordre public et au bonheur des particu-

liers ? En recherchant les meilleures maximes que le
bon sens puisse dicter sur la constitution d'un gouvernement, j'ai été si frappé de les voir toutes en éxecution
dans le vôtre, que même sans être né dans vos murs,
j'aurois cru ne pouvoir me dispenser d'offrir ce tableau
de la société humaine, à celui de tous les Peuples qui me
paroît en posséder les plus grands avantages, et en
avoir le mieux prévenu les abus.

Si j'avois eu à choisir le lieu de ma naissance, j'aurois
choisi une societé d'une grandeur bornée par l'étendue
des facultés humaines, c'est-à-dire par la possibilité
d'être bien gouvernée, et où chacun suffisant à son
emploi, nul n'eût été contraint de commettre à d'autres
les fonctions dont il étoit chargé : un État où tous les
particuliers se connoissant entr'eux, les manœuvres
obscures du vice ni la modestie de la vertu n'eussent
pû se dérober aux regards et au jugement du Public,
et où cette douce habitude de se voir et de se connoître,
fît de l'amour de la Patrie l'amour des Citoyens plutôt
que celui de la terre.

J'aurois voulu naître dans un païs où le Souverain
et le peuple ne pussent avoir qu'un seul et même
intérêt, afin que tous les mouvements de la machine
ne tendissent jamais qu'au bonheur commun ; ce qui ne
pouvant se faire à moins que le Peuple et le Souverain
ne soient une même personne, il s'ensuit que j'aurois
voulu naître sous un gouvernement démocratique,
sagement tempéré.

J'aurois voulu vivre et mourir libre, c'est-à-dire
tellement soumis aux lois que ni moi ni personne n'en
pût secouer l'honorable joug ; Ce joug salutaire et doux,
que les têtes les plus fiéres portent d'autant plus doci-

lement qu'elles sont faites pour n'en porter aucun
autre.

J'aurois donc voulu que personne dans l'État n'eût
pû se dire au-dessus de la loi, et que Personne au-
dehors n'en pût imposer que l'État fût obligé de reconnoître. Car quelle que puisse être la constitution d'un
gouvernement, s'il s'y trouve un seul homme qui ne
soit pas soumis à la loi, tous les autres sont nécessairement à la discretion de celui-là [1]; Et s'il y a un Chef
national, et un autre Chef étranger, quelque partage
d'autorité qu'ils puissent faire, il est impossible que
l'un et l'autre soient bien obéis et que l'État soit bien
gouverné.

Je n'aurois point voulu habiter une République de
nouvelle institution, quelque bonnes loix qu'elle pût
avoir ; de peur que le gouvernement autrement constitué
peut-être qu'il ne faudroit pour le moment, ne conve-
nant pas aux nouveaux Citoyens, ou les Citoyens au
nouveau gouvernemennt, l'État ne fût sujet à être
ebranlé et détruit presque dès sa naissance. Car il en
est de la liberté comme de ces alimens solides et succu-
lens, ou de ces vins généreux, propres à nourrir et
fortifier les tempéramens robustes qui en ont l'habitude,
mais qui accablent, ruinent et enyvrent les foibles et
délicats qui n'y sont point faits. Les Peuples une fois
accoutumés à des Maîtres, ne sont plus en état de s'en
passer. S'ils tentent de secouer le joug, ils s'éloignent
d'autant plus de la liberté ; que prenant pour elle une
licence effrenée qui lui est opposée, leurs révolutions
les livrent presque toûjours à des séducteurs qui ne

1 Voir NOTES de l'auteur en fin de volume.

font qu'aggraver leurs chaînes. Le Peuple Romain lui-même, ce modèle de tous les Peuples libres, ne fut point en état de se gouverner en sortant de l'oppression des Tarquins. Avili par l'esclavage et les travaux ignominieux qu'ils lui avoient imposés, ce n'étoit d'abord qu'une stupide Populace qu'il falut ménager et gouverner avec la plus grande sagesse ; afin que s'accoutumant peu à peu à respirer l'air salutaire de la liberté, ces ames énervées ou plutôt abruties sous la tyrannie, acquissent par degrés cette sévérité de mœurs et cette fierté de courage qui en firent enfin le plus respectable de tous les Peuples. J'aurois donc cherché pour ma Patrie une heureuse et tranquille République dont l'ancienneté se perdît en quelque sorte dans la nuit des tems ; qui n'eût éprouvé que des atteintes propres à manifester et affermir dans ses habitans le courage et l'amour de la Patrie, et où les Citoyens accoutumés de longue main à une sage indépendance, fussent, non-seulement libres, mais dignes de l'être.

J'aurois voulu me choisir une Patrie, détournée par une heureuse impuissance du féroce amour des Conquêtes, et garantie par une position encore plus heureuse de la crainte de devenir elle-même la Conquête d'un autre État : Une Ville libre placée entre plusieurs Peuples dont aucun n'eût intérêt à l'envahir, et dont chacun eût intérêt d'empêcher les autres de l'envahir eux mêmes : Une République, en un mot, qui ne tentât point l'ambition de ses voisins et qui pût raisonnablement compter sur leurs secours au besoin. Il s'ensuit que, dans une position si heureuse, elle n'auroit eu rien à craindre que d'elle-même, et que si ses Citoyens s'étoient exercés aux armes, c'eût été plutôt pour entretenir chez eux cette ardeur guerrière et cette fierté de courage qui sied si bien à la liberté et qui en nourrit le goût, que par la necessité de pourvoir à leur propre défense.

J'aurois cherché un Païs où le droit de législation fût commun à tous les Citoyens ; car qui peut mieux savoir qu'eux sous quelles conditions il leur convient de vivre ensemble dans une même societé ? Mais je n'aurois pas approuvé des Plebiscïtes semblables à ceux des Romains où les Chefs de l'État et les plus intéressés à sa conservation étoient exclus des déliberations dont souvent dépendoit son salut, et où par une absurde inconséquence les Magistrats étoient privés des droits dont jouissoient les simples Citoyens.

Au contraire, j'aurois désiré que pour arrêter les projets intéressés et mal conçus, et les innovations dangereuses qui perdirent enfin les Atheniens, chacun n'eût pas le pouvoir de proposer de nouvelles Loix à sa fantaisie ; que ce droit appartint aux seuls Magistrats ; qu'ils en usassent même avec tant de circonspection, que le Peuple de son côté fût si reservé à donner son consentement à ces Loix, et que la promulgation ne pût s'en faire qu'avec tant de solennité, qu'avant que la constitution fût ébranlée on eût le tems de se convaincre que c'est surtout la grande antiquité des Loix qui les rend saintes et vénérables, que le Peuple méprise bientôt celles qu'il voit changer tous les jours, et qu'en s'accoutumant à négliger les anciens usages sous prétexte de faire mieux, on introduit souvent de grands maux pour en corriger de moindres.

J'aurois fui surtout, comme necessairement mal gouvernée, une République où le Peuple croyant pouvoir se passer de ses Magistrats ou ne leur laisser qu'une autorité précaire, auroit imprudemment gardé l'administration des affaires Civiles et l'exécution de ses propres Loix ; telle dut être la grossière constitution des prémiers gouvernemens sortant immédiatement de l'état de Nature, et tel fut encore un des Vices qui perdirent la République d'Athenes.

Mais j'aurois choisi celle où les particuliers se contentant de donner la sanction aux Loix, et de décider en Corps et sur le raport des Chefs, les plus importantes affaires publiques, établiroient des tribunaux respectés, en distingueroient avec soin les divers départemens ; éliroient d'année en année les plus capables et les plus intègres de leurs Concitoyens pour administrer la Justice et gouverner l'État ; et où la Vertu des Magistrats portant ainsi témoignage de la sagesse du Peuple, les uns et les autres s'honoreroient mutuellement. De sorte que si jamais de funestes mal-entendus venoient à troubler la concorde publique, ces tems mêmes d'aveuglement et d'erreurs fussent marqués par des témoignages de modération, d'estime réciproque, et d'un commun respect pour les Loix ; présages et garants d'une réconciliation sincère et perpétuelle.

Tels sont, MAGNIFIQUES, TRÈS HONORÉS ET SOUVERAINS SEIGNEURS, les avantages que j'aurois recherchés dans la Patrie que je me serois choisie. Que si la Providence y avoit ajoûté de plus une situation charmante, un Climat tempéré, un païs fertile, et l'aspect le plus délicieux qui soit sous le Ciel, je n'aurois désiré pour combler mon bonheur que de jouir de tous ces biens dans le sein de cette heureuse Patrie, vivant paisiblement dans une douce societé avec mes Concitoyens, exerçant

envers eux, et à leur éxemple, l'humanité, l'amitié et
toutes les vertus, et laissant après moi l'honorable
mémoire d'un homme de bien, et d'un honnête et vertueux Patriote.

Si, moins heureux ou trop tard sage, je m'étois vû
réduit à finir en d'autres Climats une infirme et languis-
sante carrière, regrettant inutilement le repos et la
Paix dont une jeunesse imprudente m'auroit privé ;
j'aurois du moins nourri dans mon ame ces mêmes
sentimens dont je n'aurois pû faire usage dans mon
païs, et pénètré d'une affection tendre et desintéressée
pour mes Concitoyens éloignés, je leur aurois addressé
du fond de mon cœur à peu près le discours suivant.

Mes chers Concitoyens ou plutôt mes fréres, puisque
les liens du sang ainsi que les Loix nous unissent presque
tous, il m'est doux de ne pouvoir penser à vous, sans
penser en même tems à tous les biens dont vous jouissés
et dont nul de vous peut-être ne sent mieux le prix que
moi qui les ai perdus. Plus je réfléchis sur votre situation
Politique et Civile, et moins je puis imaginer que la
nature des choses humaines puisse en comporter une
meilleure. Dans tous les autres Gouvernemens, quand
il est question d'assurer le plus grand bien de l'État,
tout se borne toujours à des projets en idées, et tout
au plus à de simples possibilités. Pour vous, vôtre bonheur est tout fait, il ne faut qu'en jouïr, et vous n'avez
plus besoin pour devenir parfaitement heureux, que
de savoir vous contenter de l'être. Vôtre Souveraineté
acquise ou recouvrée à la pointe de l'épée, et conservée
durant deux siécles à force de valeur et de sagesse, est
enfin pleinement et universellement reconnuë. Des
Traités honorables fixent vos limites, assurent vos droits,

et affermissent vôtre repos. Vôtre constitution est excellente, dictée par la plus sublime raison, et garantie par des Puissances amies et respectables ; vôtre état est tranquille, vous n'avez ni guerres ni conquerans à craindre ; vous n'avez point d'autres maîtres que de sages loix que vous avez faites, administrées par des Magistrats intégres qui sont de vôtre choix ; vous n'êtes ni assez riches pour vous énerver par la molesse et perdre dans de vaines delices le goût du vrai bonheur et des solides vertus, ni assez pauvres pour avoir besoin de plus de secours étrangers que ne vous en procure vôtre industrie ; et cette liberté précieuse qu'on ne maintient chez les grandes Nations qu'avec des Impots exhorbitans, ne vous coute presque rien à conserver.

Puisse durer toûjours, pour le bonheur de ses Citoyens et l'exemple des Peuples une République si sagement et si heureusement constituée! Voilà le seul vœu qui vous reste à faire, et le seul soin qui vous reste à prendre. C'est à vous seuls désormais, non à faire vôtre bonheur, vos Ancêtres vous en ont évité la peine, mais à le rendre durable par la sagesse d'en bien user. C'est de vôtre union perpetuelle, de vôtre obéissance aux loix ; de vôtre respect pour leurs Ministres que dépend vôtre conservation. S'il reste parmi vous le moindre germe d'aigreur ou de défiance, hâtez vous de le détruire comme un levain funeste d'où resulteroient tôt ou tard vos malheurs et la ruine de l'État : Je vous conjure de rentrer tous au fond de vôtre Cœur et de consulter la voix secrette de votre conscience. Quelqu'un parmi vous connoît-il dans l'univers un Corps plus intégre, plus eclairé, plus respectable que celui de vôtre Magistrature? Tous ses membres ne vous donnent ils pas

l'exemple de la moderation, de la simplicité de mœurs,
du respect pour les loix, et de la plus sincére reconci-
liation : rendez donc sans réserve à de si sages Chefs
cette salutaire confiance que la raison doit à la vertu ;
songez qu'ils sont de vôtre choix, qu'ils le justifient, et
que les honneurs dûs à ceux que vous avez constitués en
dignité retombent nécessairement sur vous-mêmes.
Nul de vous n'est assez peu éclairé pour ignorer qu'où
cesse la vigueur des loix et l'autorité de leurs défenseurs,
il ne peut y avoir ni sureté ni liberté pour personne.
De quoi s'agit il donc entre vous que de faire de bon
cœur et avec une juste confiance ce que vous seriez
toujours obligés de faire par un véritable intérêt, par
devoir, et pour la raison? Qu'une coupable et funeste
indifférence pour le maintien de la constitution, ne
vous fasse jamais négliger au besoin les sages avis des
plus éclairés et des plus zèlés d'entre vous : Mais que
l'équité, la modération, la plus respectueuse fermeté,
continuent de régler toutes vos démarches et de montrer
en vous à tout l'univers l'exemple d'un Peuple fier et
modeste, aussi jaloux de sa gloire que de sa liberté.
Gardez-vous, sur tout, et ce sera mon dernier Conseil,
d'écouter jamais des interpretations sinistres et des
discours envenimés dont les motifs secrets sont souvent
plus dangereux que les actions qui en sont l'objet.
Toute une maison s'éveille et se tient en allarmes aux
prémiers cris d'un bon et fidèle Gardien qui n'aboye
jamais qu'à l'approche des Voleurs ; mais on haït l'im-
portunité de ces animaux bruyans qui troublent sans
cesse le repos public, et dont les avertissements continuels et déplacés ne se font pas même écouter au moment qu'ils sont nécessaires.

Et vous, MAGNIFIQUES ET TRÈS HONORÉS SEIGNEURS ; vous dignes et respectables Magistrats d'un Peuple libre ; permettez-moi de vous offrir en particulier mes hommages et mes devoirs. S'il y a dans le monde un rang propre à illustrer ceux qui l'occupent, c'est sans doute celui que donnent les talens et la vertu, celui dont vous vous êtes rendus dignes, et auquel vos Concitoyens vous ont élevés. Leur propre mérite ajoûte encore au vôtre un nouvel éclat, et choisis par des hommes capables d'en gouverner d'autres, pour les gouverner eux-mêmes, je vous trouve autant au dessus des autres Magistrats, qu'un Peuple libre, et sur tout celui que vous avez l'honneur de conduire, est par ses lumières et par sa raison au dessus de la populace des autres États.

Qu'il me soit permis de citer un éxemple dont il devroit rester de meilleures traces, et qui sera toujours présent à mon Cœur. Je ne me rappelle point sans la plus douce émotion la mémoire du vertueux Citoyen de qui j'ai reçu le jour, et qui souvent entretint mon enfance du respect qui vous étoit dû. Je le vois encore vivant du travail de ses mains, et nourrissant son ame des Vérités les plus sublimes. Je vois Tacite, Plutarque et Grotius, mêlés devant lui avec les instruments de son métier. Je vois à ses côtés un fils chéri recevant avec trop peu de fruit les tendres instructions du meilleur des Péres. Mais si les égarements d'une folle jeunesse me firent oublier durant un tems de si sages leçons, j'ai le bonheur d'éprouver enfin que quelque penchant qu'on ait vers le vice, il est difficile qu'une éducation dont le cœur se mêle reste perdue pour toujours.

Tels sont MAGNIFIQUES ET TRÈS HONORÉS SEIGNEURS,

les Citoyens et même les simples habitans nés dans
l'État que vous gouvernez ; tels sont ces hommes instruits et sensés dont, sous le nom d'Ouvriers et de
Peuple, on a chez les autres Nations des idées si basses
et si fausses. Mon pére, je l'avoue avec joye, n'étoit
point distingué parmi ses concitoyens ; il n'étoit que
ce qu'ils sont tous, et tel qu'il étoit, il n'y a point de
Païs où sa société n'eût été recherchée, cultivée, et
même avec fruit, par les plus honnêtes gens, Il ne
m'appartient pas, et grace au Ciel, il n'est pas nécessaire de vous parler des égards que peuvent attendre
de vous des hommes de cette trempe, vos égaux par
l'éducation, ainsi que par les droits de la nature et de la
naissance ; vos inférieurs par leur volonté, par la
préférence qu'ils devoient à vôtre mérite, qu'ils lui ont
accordée, et pour laquelle vous leur devez à votre tour
une sorte de reconnoissance. J'apprends avec une vive
satisfaction de combien de douceur et de condescen-
dance vous temperez avec eux la gravité convenable
aux ministres des Loix, combien vous leur rendez en
estime et en attentions ce qu'ils vous doivent d'obeis-
sance et de respects ; conduite pleine de justice et de
sagesse, propre à éloigner de plus en plus la mémoire
des événemens malheureux qu'il faut oublier pour ne
les revoir jamais : conduite d'autant plus judicieuse
que ce Peuple équitable et genereux se fait un plaisir
de son devoir, qu'il aime naturellement à vous honorer,
et que les plus ardent à soutenir leurs droits, sont les
plus portés à respecter les vôtres.

Il ne doit pas être étonnant que les Chefs d'une
Société Civile en aiment la gloire et le bonheur, mais il
l'est trop pour le repos des hommes que ceux qui se

regardent comme les Magistrats, ou plutôt comme les
maîtres d'une Patrie plus sainte et plus sublime, témoignent quelque amour pour la Patrie terrestre qui les
nourrit. Qu'il m'est doux de pouvoir faire en nôtre
faveur une exception si rare, et placer au rang de nos
meilleurs Citoyens, ces zèlés dépositaires des dogmes
sacrés autorisés par les loix, ces vénérables Pasteurs
des ames, dont la vive et douce éloquence porte d'autant
mieux dans les Cœurs les maximes de l'Évangile, qu'il
commencent toujours par les pratiquer eux-mêmes !
Tout le monde sait avec quel succès le grand art de la
Chaîre est cultivé à Genève ; Mais, trop accoutumés
à voir dire d'une manière et faire d'une autre, peu de
Gens savent jusqu'à quel point l'esprit du Christianisme, la sainteté des mœurs, la sévérité pour soi-même
et la douceur pour autrui, régnent dans le Corps de nos
Ministres. Peut-être appartient-il à la seule Ville de
Genève de montrer l'exemple édifiant d'une aussi
parfaite union entre une Société de Théologiens et de
Gens de Lettres. C'est en grande partie sur leur sagesse
et leur modération reconnuës, c'est sur leur zèle pour
la prospérité de l'État que je fonde l'espoir de son
éternelle tranquillité ; et je remarque avec un plaisir
mêlé d'étonnement et de respect, combien ils ont
d'horreur pour les affreuses maximes de ces hommes
sacrés et barbares dont l'Histoire fournit plus d'un
éxemple, et qui, pour soutenir les prétendus droits de
Dieu, c'est-à-dire leurs intérêts, étoient d'autant moins
avares du sang humain qu'ils se flattoient que le leur
seroit toujours respecté.

Pourrois-je oublier cette précieuse moitié de la
République qui fait le bonheur de l'autre, et dont la

douceur et la sagesse y maintiennent la paix et les
bonnes mœurs? Aimables et vertueuses Citoyennes, le
sort de vôtre séxe sera toujours de gouverner le nôtre.
Heureux! quand vôtre chaste pouvoir exercé seulement
dans l'union conjugale, ne se fait sentir que pour la
gloire de l'État et le bonheur public. C'est ainsi que les
femmes commandoient à Sparte, et c'est ainsi que vous
méritez de commander à Genève. Quel homme barbare
pourroit résister à la voix de l'honneur et de la raison
dans la bouche d'une tendre épouse ; et qui ne mépri-
seroit un vain luxe, en voyant vôtre simple et modeste
parure, qui par l'éclat qu'elle tient de vous, semble
être la plus favorable à la beauté? C'est à vous de maintenir toujours par vôtre aimable et innocent empire
et par vôtre esprit insinuant l'amour des loix dans
l'État et la Concorde parmi les Citoyens ; de réunir
par d'heureux mariages les familles divisées ; et surtout, de corriger par la persuasive douceur de vos
leçons et par les graces modestes de vôtre entretien, les
travers que nos jeunes Gens vont prendre en d'autres
païs, d'où, au lieu de tant de choses utiles dont ils
pourroient profiter ils ne rapportent, avec un ton
puerile et des airs ridicules pris parmi des femmes
perdues, que l'admiration de je ne sais quelles prétendues
grandeurs, frivoles dedommagemens de la servitude,
qui ne vaudront jamais l'auguste liberté. Soyez donc
toûjours ce que vous étes, les chastes gardiennes des
mœurs et les doux liens de la paix, et continuez de
faire valoir, en toute occasion, les droits du Cœur et
de la Nature au profit du devoir et de la vertu.

Je me flate de n'être point démenti par l'événement,
en fondant sur de tels garands l'espoir du bonheur

commun des Citoyens et de la gloire de la République. J'avouë qu'avec tous ces avantages, elle ne brillera pas de cet éclat dont la plûpart des yeux sont éblouis, et dont le puerile et funeste goût est le plus mortel ennemi du bonheur et de la liberté. Qu'une jeunesse dissolue aille chercher ailleurs des plaisirs faciles et de longs repentirs. Que les prétendus gens de goût admirent en d'autres lieux la grandeur des Palais, la beauté des équipages, les superbes ameublemens, la pompe des spectacles, et tous les rafinemens de la molesse et du luxe. A Genève, on ne trouvera que des hommes, mais pourtant un tel spectacle a bien son prix, et ceux qui le rechercheront vaudront bien les admirateurs du reste.

Daignez MAGNIFIQUES, TRÈS HONORÉS ET SOUVERAINS SEIGNEURS, recevoir tous avec la même bonté les respectueux témoignages de l'intérêt que je prends à votre prospérité commune. Si j'étois assés malheureux pour être coupable de quelque transport indiscret dans cette vive effusion de mon Cœur, je vous supplie de le pardonner à la tendre affection d'un vrai Patriote, et au zèle ardent et légitime d'un homme qui n'envisage point de plus grand bonheur pour lui-même que celui de vous voir tous heureux.

Je suis avec le plus profond respect

MAGNIFIQUES, TRÈS HONORÉS,
ET SOUVERAINS SEIGNEURS

*Vôtre très humble et très-obéissant
serviteur et Concitoyen.*

JEAN JAQUES ROUSSEAU.

A Chamberi ; le 12. Juin 1754.

PRÉFACE

La plus utile et la moins avancée de toutes les connoissances humaines me paroît être celle de l'homme [2], et
j'ose dire que la seule inscription du Temple de Delphes
contenoit un Precepte plus important et plus difficile
que tous les gros Livres des Moralistes. Aussi je regarde
le sujet de ce Discours comme une des questions les
plus intéressantes que la Philosophie puisse proposer,
et malheureusement pour nous comme une des plus
épineuses que les Philosophes puissent résoudre : Car
comment connoître la source de l'inégalité parmi les
hommes, si l'on ne commence par les connoître eux
mêmes ? et comment l'homme viendra-t-il à bout de se
voir tel que l'a formé la Nature, à travers tous les
changemens que la succession des tems et des choses
a dû produire dans sa constitution originelle, et de
démêler ce qu'il tient de son propre fond d'avec ce que
les circonstances et ses progrès ont ajouté ou changé à
son État primitif ? semblable à la statue de Glaucus que
le tems, la mer et les orages avoient tellement défigurée,
qu'elle ressembloit moins à un Dieu qu'à une Bête
féroce, l'ame humaine altérée au sein de la société par
mille causes sans cesse renaissantes, par l'acquisition

d'une multitude de connoissances et d'erreurs, par les changements arrivés à la constitution des Corps, et par le choc continuel des passions, a, pour ainsi dire, changé d'apparence au point d'être presque méconnoissable ; et l'on n'y retrouve plus, au lieu d'un être agissant toûjours par des Principes certains et invariables, au lieu de cette Celeste et majestueuse simplicité dont son Auteur l'avoit empreinte, que le difforme contraste de la passion qui croit raisonner et de l'entendement en délire.

Ce qu'il y a de plus cruel encore, c'est que tous les progrès de l'Espèce humaine l'éloignant sans cesse de son état primitif, plus nous accumulons de nouvelles connoissances, et plus nous nous ôtons les moyens d'acquérir la plus importante de toutes, et que c'est en un sens à force d'étudier l'homme que nous nous sommes mis hors d'état de le connoître.

Il est aisé de voir que c'est dans ces changements successifs de la constitution humaine qu'il faut chercher la première origine des différences qui distinguent les hommes, lesquels d'un commun aveu sont naturellement aussi égaux entr'eux que l'étoient les animaux de chaque espèce, avant que diverses causes Physiques eussent introduit dans quelques-unes les variétés que nous y remarquons. En effet, il n'est pas concevable que ces premiers changemens, par quelque moyen qu'ils soient arrivés, aient altéré tout à la fois et de la même manière tous les Individus de l'espèce ; mais les uns s'étant perfectionnés ou détériorés, et ayant acquis diverses qualités bonnes ou mauvaises qui n'étoient point inhérentes à leur Nature, les autres restérent plus longtems dans leur État originel ; et telle fut parmi les hommes la première source de l'inégalité, qu'il est plus aisé de démontrer ainsi en général, que d'en assigner avec précision les véritables causes.

Que mes Lecteurs ne s'imaginent donc pas que j'ose me flatter d'avoir vû ce qui me paroit si difficile à voir. J'ai commencé quelques raisonnemens ; J'ai hazardé quelques conjectures, moins dans l'espoir de résoudre la question que dans l'intention de l'éclaircir et de la réduire à son véritable état. D'autres pourront aisément aller plus loin dans la même route, sans qu'il soit facile à personne d'arriver au terme. Car ce n'est pas une légère entreprise de démêler ce qu'il y a d'originaire et d'artificiel dans la Nature actuelle de l'homme, et de bien connoître un État qui n'existe plus, qui n'a peut-être point existé, qui probablement n'existera jamais, et dont il est pourtant necessaire d'avoir des Notions justes pour bien juger de nôtre état présent. Il faudroit même plus de Philosophie qu'on ne pense à celui qui entreprendroit de déterminer exactement les précautions à prendre pour faire sur ce sujet de solides observations ; et une bonne solution du Problême suivant ne me paroîtroit pas indigne des Aristotes et des Plines de nôtre siécle : *Quelles expériences seroient nécessaires pour parvenir à connoître l'homme naturel ; et quels sont les moyens de faire ces expériences au sein de la société ?* Loin d'entreprendre de résoudre ce Problême, je crois en avoir assés médité le Sujet, pour oser répondre d'avance que les plus grands Philosophes ne seront pas trop bons pour diriger ces expériences, ni les plus puissants souverains pour les faire ; concours auquel il n'est guéres raisonnable de s'attendre sur-tout avec la perseverance ou plustôt la succession de lumiéres

et de bonne volonté nécessaire de part et d'autre pour
arriver au succès.

Ces recherches si difficiles à faire, et auxquelles on a
si peu songé jusqu'ici, sont pourtant les seuls moyens
qui nous restent de lever une multitude de difficultés
qui nous dérobent la connoissance des fondemens
réels de la société humaine. C'est cette ignorance de
la nature de l'homme qui jette tant d'incertitude et
d'obscurité sur la véritable définition du droit naturel :
car l'idée du droit, dit Mr. Burlamaqui, et plus encore
celle du droit naturel, sont manifestement des idées
rélatives à la Nature de l'homme. C'est donc de cette
Nature même de l'homme, continue-t-il, de sa constitution et de son Etat qu'il faut déduire les principes de
cette science.

Ce n'est point sans surprise et sans scandale qu'on
remarque le peu d'accord qui régne sur cette importante
matiere entre les divers Auteurs qui en ont traité.
Parmi les plus graves Ecrivains à peine en trouve-t-on
deux qui soient du même avis sur ce point. Sans parler
des Anciens Philosophes qui semblent avoir pris à
tâche de se contredire entre eux sur les principes les
plus fondamentaux, les Jurisconsultes Romains assu-
jettissent indifferemment l'homme et tous les autres
animaux à la même Loy naturelle, parce qu'ils consi-
dérent plutôt sous ce nom la Loy que la Nature s'im-
pose à elle même, que celle qu'elle prescrit ; ou plutôt,
à cause de l'acception particulière selon laquelle ces
Jurisconsultes entendent le mot de Loy qu'ils semblent
n'avoir pris en cette occasion que pour l'expression des
rapports généraux établis par la nature entre tous les
êtres animés, pour leur commune conservation. Les

Modernes ne reconnoissant sous le nom de loy qu'une
régle prescrite à un être moral, c'est-à-dire intelligent,
libre, et considéré dans ses rapports avec d'autres êtres,
bornent consequemment au seul animal doué de raison, c'est-à-dire à l'homme, la compétence de la Loy
naturelle ; mais définissant cette Loy chacun à sa mode,
ils l'établissent tous sur des principes si métaphisiques
qu'il y a même parmi nous, bien peu de gens en état de
comprendre ces principes, loin de pouvoir les trouver
d'eux mêmes. De sorte que toutes les définitions de
ces savans hommes, d'ailleurs en perpetuelle contradiction entre elles, s'accordent seulement en ceci, qu'il
est impossible d'entendre la Loy de Nature et par consequent d'y obéir, sans être un très grand raisonneur et
un profond Metaphisicien. Ce qui signifie precisément
que les hommes ont dû employer pour l'établissement
de la société, des lumières qui ne se développent qu'avec
beaucoup de peine et pour fort peu de gens dans le
sein de la société même.

Connoissant si peu la Nature et s'accordant si mal
sur le sens du mot *Loi*, il seroit bien difficile de convenir d'une bonne définition de la Loi naturelle. Aussi
toutes celles qu'on trouve dans les Livres, outre le
défaut de n'être point uniformes, ont-elles encore
celui d'être tirées de plusieurs Connoissances que les
hommes n'ont point naturellement, et des avantages
dont ils ne peuvent concevoir l'idée qu'après être sortis
de l'Etat de Nature. On commence par rechercher les
régles dont, pour l'utilité commune, il seroit à propos
que les hommes convinssent entr'eux ; et puis on
donne le nom de Loi naturelle à la collection de ces
régles, sans autre preuve que le bien qu'on trouve qui

résulteroit de leur pratique universelle. Voilà assurément une maniére très-commode de composer des
définitions, et d'expliquer la nature des choses par des
convenances presque arbitraires.

Mais tant que nous ne connoîtrons point l'homme
naturel, c'est en vain que nous voudrons déterminer
la Loi qu'il a reçue ou celle qui convient le mieux à sa
constitution. Tout ce que nous pouvons voir très clairement au sujet de cette Loi, c'est que non seulement
pour qu'elle soit loi il faut que la volonté de celui qu'elle
oblige puisse s'y soumettre avec connoissance ; Mais il
faut encore pour qu'elle soit naturelle qu'elle parle
immediatement par la voix de la Nature.

Laissant donc tous les livres scientifiques qui ne
nous apprennent qu'à voir les hommes tels qu'ils se
sont faits, et méditant sur les premiéres et plus simples
opérations de l'Ame humaine, j'y crois appercevoir
deux principes antérieurs à la raison, dont l'un nous
intéresse ardemment à nôtre bien-être et à la conservation de nous mêmes, et l'autre nous inspire une répugnance naturelle à voir perir ou souffrir tout être
sensible et principalement nos semblables. C'est du
concours et de la combinaison que nôtre esprit est en
état de faire de ces deux Principes, sans qu'il soit
nécessaire d'y faire entrer celui de la sociabilité, que me
paroissent découler toutes les régles du droit naturel ;
régles que la raison est ensuite forcée de rétablir sur
d'autres fondemens, quand par ses développemens
successifs elle est venue à bout d'étouffer la Nature.

De cette maniére, on n'est point obligé de faire de
l'homme un Philosophe avant que d'en faire un homme ;
ses devoirs envers autrui ne lui sont pas uniquement

dictés par les tardives leçons de la Sagesse ; et tant
qu'il ne resistera point à l'impulsion intérieure de la
commisération, il ne fera jamais du mal à un autre
homme ni même à aucun être sensible, excepté dans
le cas légitime où sa conservation se trouvant intéressée,
il est obligé de se donner la préférence à lui-même. Par
ce moyen, on termine aussi les anciennes disputes sur
la participation des animaux à la Loi naturelle : Car
il est clair que, dépourvus de lumiéres et de liberté, ils
ne peuvent reconnoître cette Loi ; mais tenant en quelque chose à nôtre nature par la sensibilité dont ils
sont doués, on jugera qu'ils doivent aussi participer
au droit naturel, et que l'homme est assujetti envers
eux à quelque espéce de devoirs. Il semble, en effet, que
si je suis obligé de ne faire aucun mal à mon semblable,
c'est moins parce qu'il est un être raisonnable que
parce qu'il est un être sensible ; qualité qui étant
commune à la bête et à l'homme, doit au moins donner
à l'une le droit de n'être point maltraitée inutilement
par l'autre.

Cette même étude de l'homme originel, de ses vrais
besoins, et des principes fondamentaux de ses devoirs,
est encore le seul bon moyen qu'on puisse employer
pour lever ces foules de difficultés qui se présentent sur
l'origine de l'inégalité morale, sur les vrais fondemens
du Corps politique, sur les droits réciproques de ses
membres, et sur mille autres questions semblables,
aussi importantes que mal éclaircies.

En considérant la société humaine d'un regard tran-
quile et desintéressé, elle ne semble montrer d'abord
que la violence des hommes puissans et l'oppression
des foibles ; l'esprit se révolte contre la dureté des uns ;

on est porté à déplorer l'aveuglement des autres ; et
comme rien n'est moins stable parmi les hommes que
ces rélations extérieures que le hazard produit plus
souvent que la sagesse, et qu'on appelle foiblesse ou
puissance, richesse ou pauvreté, les établissemens
humains paroissent au premier coup d'œuil fondés sur
des monceaux de Sable mouvant : ce n'est qu'en les
éxaminant de près, ce n'est qu'après avoir écarté la
poussière et le sable qui environnent l'Edifice, qu'on
apperçoit la base inébranlable sur laquelle il est élevé,
et qu'on apprend à en respecter les fondemens. Or
sans l'étude serieuse de l'homme, de ses facultés naturelles, et de leurs développemens successifs, on ne
viendra jamais à bout de faire ces distinctions, et de
séparer dans l'actuelle constitution des choses, ce qu'a
fait la volonté divine d'avec ce que l'art humain a
prétendu faire. Les recherches Politiques et morales
auxquelles donne lieu l'importante question que
j'éxamine, sont donc utiles de toutes maniéres, et
l'histoire hypotétique, des gouvernemens, est pour
l'homme une leçon instructive à tous égards. En considérant ce que nous serions devenus, abandonnés à nous
mêmes, nous devons apprendre à bénir celui dont la
main bienfaisante, corrigeant nos institutions et leur
donnant une assiéte inébranlable, a prévenu les
desordres qui devroient en résulter, et fait naître nôtre
bonheur des moyens qui sembloient devoir combler
nôtre misère.

> *Quem te Deus esse*
> *Jussit, et humanâ quâ parte locatus es in re.*
> *Disce.*

AVERTISSEMENT
SUR LES NOTES

J'ai ajoûté quelques notes à cet ouvrage selon ma coutume paresseuse de travailler à bâton rompu. Ces notes s'écartent quelquefois assés du sujet pour n'être pas bonnes à lire avec le texte. Je les ai donc rejettées à la fin du Discours, dans lequel j'ai tâché de suivre de mon mieux le plus droit chemin. Ceux qui auront le courage de recommencer, pourront s'amuser la seconde fois à battre les buissons, et tenter de parcourir les notes ; il y aura peu de mal que les autres ne les lisent point du tout.

QUESTION

Proposée par l'Academie de Dijon.

Quelle est l'origine de l'inégalité parmi
les hommes, et si elle est autorisée
par la Loy naturelle.

C'est de l'homme que j'ai à parler, et la question que j'éxamine m'apprend que je vais parler à des hommes, car on n'en propose point de semblables quand on craint d'honorer la vérité. Je défendrai donc avec confiance la cause de l'humanité devant les sages qui m'y invitent, et je ne serai pas mécontent de moi même si je me rends digne de mon sujet et de mes juges.

Je conçois dans l'Espece humaine deux sortes d'inégalité ; l'une que j'appelle naturelle ou Phisique, parce qu'elle est établie par la Nature, et qui consiste dans la différence des âges, de la santé, des forces du Corps, et des qualités de l'Esprit, ou de l'Ame ; L'autre qu'on peut appeller inégalité morale, ou politique, parce qu'elle dépend d'une sorte de convention, et qu'elle est établie, ou du moins autorisée par le consentement des Hommes. Celle-ci consiste dans les differents Privileges, dont quelques-uns jouissent, au préjudice des autres, comme d'être plus riches, plus honorés, plus Puissants qu'eux, ou mêmes de s'en faire obéïr.

On ne peut pas demander quelle est la source de l'inégalité Naturelle, parce que la réponse se trouveroit énoncée dans la simple définition du mot : On peut

encore moins chercher, s'il n'y auroit point quelque
liaison essentielle entre les deux inégalités ; car ce
seroit demander, en d'autres termes, si ceux qui comman-
dent valent nécessairement mieux, que ceux qui obéis-
sent, et si la force du Corps ou de l'Esprit, la sagesse
ou la vertu, se trouvent toujours dans les mêmes individus, en proportion de la Puissance, ou de la Richesse :
Question bonne peut être à agiter entre des Esclaves
entendus de leurs maîtres, mais qui ne convient pas à
des Hommes raisonnables et libres, qui cherchent la
vérité.

De quoi s'agit il donc précisement dans ce Discours?
De marquer dans le progrés des choses, le moment où
le Droit succedant à la Violence, la Nature fut soumise
à la Loi ; d'expliquer par quel enchaînement de prodiges le fort put se resoudre à servir le foible, et le Peuple
à acheter un repos en idée, au prix d'une félicité réelle.

Les Philosophes qui ont examiné les fondemens de
la société, ont tous senti la nécessité de remonter
jusqu'à l'état de Nature, mais aucun d'eux n'y est
arrivé. Les uns n'ont point balancé à supposer à
l'Homme dans cet état, la notion du Juste et de l'Injuste, sans se soucier de montrer qu'il dût avoir cette
notion, ni même qu'elle lui fût utile : D'autres ont parlé
du Droit Naturel que chacun a de conserver ce qui lui
appartient, sans expliquer ce qu'ils entendoient par
appartenir ; D'autres donnant d'abord au plus fort
l'autorité sur le plus foible, ont aussitôt fait naître le
Gouvernement, sans songer au tems qui dut s'écouler
avant que le sens des mots d'autorité, et de gouvernement pût exister parmi les Hommes : Enfin tous, par-
lant sans cesse de besoin, d'avidité, d'oppression, de

desirs, et d'orgueil, ont transporté à l'état de Nature, des idées qu'ils avoient prises dans la société ; Ils parloient de l'Homme Sauvage et ils peignoient l'homme Civil. Il n'est pas même venu dans l'esprit de la plupart des nôtres de douter que l'Etat de Nature eût existé, tandis qu'il est évident, par la lecture des Livres Sacrés, que le premier Homme ayant reçu immediatement de Dieu des lumieres et des Preceptes, n'étoit point lui-même dans cet état, et qu'en ajoutant aux Ecrits de Moïse la foi que leur doit tout Philosophe Chrétien, il faut nier que, même avant le Deluge, les Hommes se soient jamais trouvés dans le pur état de Nature, à moins qu'ils n'y soient retombés par quelque Evenement extraordinaire : Paradoxe fort embarrassant à défendre, et tout à fait impossible à prouver.

Commençons donc par écarter tous les faits, car ils ne touchent point à la question. Il ne faut pas prendre les Recherches, dans lesquelles on peut entrer sur ce Sujet, pour des verités historiques, mais seulement pour des raisonnemens hypothétiques et conditionnels ; plus propres à éclaircir la Nature des choses qu'à montrer la véritable origine, et semblables à ceux que font tous les jours nos Physiciens sur la formation du Monde. La Religion nous ordonne de croire que Dieu lui-même ayant tiré les Hommes de l'état de Nature, ils sont inégaux parce qu'il a voulu qu'ils le fussent ; mais elle ne nous défend pas de former des conjectures tirées de la seule nature de l'homme et des Etres qui l'environnent, sur ce qu'auroit pu devenir le Genre-humain, s'il fût resté abandonné à lui-même. Voilà ce qu'on me demande, et ce que je me propose d'examiner dans ce Discours. Mon sujet intéressant l'homme en général, je tâcherai de prendre un langage qui convienne à toutes les Nations, ou plûtôt, oubliant les tems et les Lieux, pour ne songer qu'aux Hommes à qui je parle, je me supposerai dans le Licée d'Athenes, repetant les Leçons de mes Maîtres, ayant les Platons et les Xenocrates pour Juges, et le Genre-humain pour Auditeur.

O Homme, de quelque Contrée que tu sois, quelles que soient tes opinions, écoute ; voici ton histoire telle que j'ai cru la lire, non dans les Livres de tes semblables qui sont menteurs, mais dans la Nature qui ne ment jamais. Tout ce qui sera d'elle, sera vrai : il n'y aura de faux que ce que j'y aurai mêlé du mien sans le vouloir. Les tems dont je vais parler sont bien éloignés : Combien tu as changé de ce que tu étois ! C'est pour ainsi dire la vie de ton espéce que je te vais décrire d'après les qualités que tu as reçues, que ton éducation et tes habitudes ont pu dépraver, mais qu'elles n'ont pu détruire. Il y a, je le sens, un âge auquel l'homme individuel voudroit s'arrêter ; Tu chercheras l'âge auquel tu désirerois que ton Espece se fût arrêtée : Mécontent de ton état present, par des raisons qui annoncent à ta Postérité malheureuse de plus grands mécontemens encore, peut-être voudrois tu pouvoir rétrograder ; Et ce sentiment doit faire l'Eloge de tes premiers ayeux, la critique de tes contemporains, et l'effroi de ceux, qui auront le malheur de vivre après toi.

PREMIERE PARTIE

Quelque important qu'il soit, pour bien juger de l'état naturel de l'Homme, de le considerer dès son origine, et de l'éxaminer, pour ainsi dire, dans le premier Embryon de l'espéce ; je ne suivrai point son organisation à travers ses dévéloppemens successifs : Je ne m'arrêterai pas à rechercher dans le Système animal ce qu'il put être au commencement, pour devenir enfin ce qu'il est ; Je n'examinerai pas, si, comme le pense Aristote, ses ongles alongés ne furent point d'abord des griffes crochües ; s'il n'étoit point velu comme un ours, et si marchant à quatre pieds [3], ses regards dirigés vers la Terre, et bornés à un horizon de quelques pas, ne marquoient point à la fois le caractere, et les limites de ses idées. Je ne pourrois former sur ce sujet que des conjectures vagues, et presque imaginaires : L'Anatomie comparée a fait encore trop peu de progrès, les observations des Naturalistes sont encore trop incertaines pour qu'on puisse établir sur de pareils fondemens la baze d'un raisonnement solide ; ainsi, sans avoir recours aux connoissances surnaturelles que nous avons sur ce point, et sans avoir égard aux changemens qui ont dû survenir dans la conformation, tant intérieure

qu'extérieure de l'homme, à mesure qu'il appliquoit
ses membres à de nouveaux usages, et qu'il se nourrissoit de nouveaux alimens, je le supposerai conformé de
tous temps, comme je le vois aujourd'hui, marchant à
deux pieds, se servant de ses mains comme nous faisons des nôtres, portant ses regards sur toute la Nature,
et mesurant des yeux la vaste étendue du Ciel.

En dépouillant cet Etre, ainsi constitué, de tous les
dons surnaturels qu'il a pu recevoir, et de toutes les
facultés artificielles, qu'il n'a pu acquerir que par de
longs progrès ; En le considerant, en un mot, tel qu'il
a dû sortir des mains de la Nature, je vois un animal
moins fort que les uns, moins agile que les autres, mais
à tout prendre, organizé le plus avantageusement de
tous : Je le vois se rassasiant sous un chesne, se désalte-
rant au premier Ruisseau, trouvant son lit au pied du
même arbre qui lui a fourni son repas, et voilà ses
besoins satisfaits.

La Terre abandonnée à sa fertilité naturelle [4], et
couverte de forêts immenses que la Coignée ne mutila
jamais, offre à chaque pas des Magazins et des retraites
aux animaux de toute espèce. Les Hommes dispersés
parmi eux, observent, imitent leur industrie, et s'élé-
vent ainsi jusqu'à l'instinct des Bêtes, avec cet avantage
que chaque espèce n'a que le sien propre, et que l'homme
n'en ayant peut-être aucun qui lui appartienne, se les
approprie tous, se nourrit également de la pluspart des
alimens divers [5] que les autres animaux se partagent,
et trouve par consequent sa subsistance plus aisément
que ne peut faire aucun d'eux.

Accoutumés des l'enfance aux intempéries de l'air,
et à la rigueur des saisons, exercés à la fatigue, et forcés

de défendre nuds et sans armes leur vie et leur Proye
contre les autres Bêtes féroces, ou de leur échapper à
la course, les Hommes se forment un temperament
robuste et presque inaltérable ; Les Enfans, apportant
au monde l'excellente constitution de leurs Peres, et la
fortifiant par les mêmes exercices qui l'ont produite,
acquiérent ainsi toute la vigueur dont l'espèce humaine
est capable. La nature en use précisement avec eux
comme la Loi de Sparte avec les Enfans des Citoyens ;
Elle rend forts, et robustes ceux qui sont bien constitués
et fait périr tous les autres ; differente en cela de nos
sociétés, où l'état, en rendant les Enfans onéreux aux
Péres, les tue indistinctement avant leur naissance.

Le corps de l'homme sauvage étant le seul instrument
qu'il connoisse, il l'employe à divers usages, dont, par
le défaut d'exercice, les notres sont incapables, et c'est
notre industrie qui nous ôte la force et l'agilité que la
nécessité l'oblige d'acquerir. S'il avoit eu une hache,
son poignet romproit-il de si fortes branches ? S'il
avoit eu une fronde, lanceroit-il de la main une pierre
avec tant de roideur ? S'il avoit eu une échelle, grimpe-
roit-il si légérement sur un arbre ? S'il avoit eu un
Cheval, seroit-il si vîte à la Course ? Laissez à l'homme
civilisé le tems de rassembler toutes ces machines autour
de lui, on ne peut douter qu'il ne surmonte facilement
l'homme Sauvage ; mais si vous voulés voir un combat
plus inegal encore, mettez-les nuds et desarmés vis-à-vis
l'un de l'autre, et vous reconnoîtrés bientôt quel est
l'avantage d'avoir sans cesse toutes ses forces à sa disposition, d'être toujours prêt à tout evenement, et de se
porter, pour ainsi dire, toujours tout entier avec soi [6].

Hobbes prétend que l'homme est naturellement intré-

pide, et ne cherche qu'à attaquer, et combattre. Un
Philosophe illustre pense au contraire, et Cumberland
et Puffendorff l'assurent aussi, que rien n'est si timide
que l'homme dans l'état de Nature, et qu'il est toujours
tremblant, et prêt à fuir au moindre bruit qui le frappe,
au moindre mouvement qu'il apperçoit. Cela peut être
ainsi pour les objets qu'il ne connoît pas, et je ne
doute point qu'il ne soit effrayé par tous les nouveaux
Spectacles, qui s'offrent à lui, toutes les fois qu'il ne
peut distinguer le bien et le mal Physiques qu'il en
doit attendre, ni comparer ses forces avec les dangers
qu'il a à courir ; circonstances rares dans l'état de Nature, où toutes choses marchent d'une maniere si
uniforme, et où la face de la Terre n'est point sujette
à ces changemens brusques et continuels, qu'y causent
les passions, et l'inconstance des Peuples réunis. Mais
l'homme Sauvage vivant dispersé parmi les animaux,
et se trouvant de bonne heure dans le cas de se mesurer
avec eux, il en fait bientôt la comparaison, et sentant
qu'il les surpasse plus en adresse, qu'ils ne le surpassent
en force, il apprend à ne les plus craindre. Mettez un
ours ou un loup aux prises avec un Sauvage robuste,
agile, courageux comme ils sont tous, armé de pierres,
et d'un bon bâton, et vous verrez que le péril sera tout
au moins réciproque, et qu'après plusieurs expériences
pareilles, les Bêtes féroces qui n'aiment point à s'attaquer l'une à l'autre, s'attaqueront peu volontiers à
l'homme, qu'elles auront trouvé tout aussi féroce qu'elles.
A l'égard des animaux qui ont réellement plus de force
qu'il n'a d'adresse, il est vis à vis d'eux dans le cas des
autres espéces plus foibles, qui ne laissent pas de subsister ; avec cet avantage pour l'homme, que non

moins dispos qu'eux à la course, et trouvant sur les
arbres un réfuge presque assuré ; il a par tout le prendre
et le laisser dans la rencontre, et le choix de la fuite ou
du combat.. Ajoutons qu'il ne paroit pas qu'aucun
animal fasse naturellement la guerre à l'homme, hors
le cas de sa propre défense ou d'une extrême faim,
ni témoigne contre lui de ces violentes antipathies
qui semblent annoncer qu'une espéce est destinée par
la Nature à servir de pâture à l'autre*.

D'autres ennemis plus redoutables, et dont l'homme
n'a pas les mêmes moyens de se défendre, sont les
infirmités naturelles, l'enfance, la vieillesse et les
maladies de toute espèce ; Tristes signes de notre foiblesse, dont les deux premiers sont communs à tous les
animaux, et dont le dernier appartient principalement
à l'homme vivant en Société. J'observe même, au
sujet de l'Enfance, que la Mere portant partout son
enfant avec elle, a beaucoup plus de facilité à le nourrir
que n'ont les femelles de plusieurs animaux, qui sont
forcées d'aller et venir sans cesse avec beaucoup de
fatigue, d'un côté pour chercher leur pâture, et de
l'autre pour alaiter ou nourrir leurs petits. Il est vrai
que si la femme vient à périr, l'enfant risque fort de
périr avec elle ; mais ce danger est commun à cent

---

* Voilà sans doute les raisons pourquoi les Negres et les Sauvages
se mettent si peu en peine des bêtes féroces qu'ils peuvent rencontrer
dans les bois. Les Caraïbes de Venezuela vivent entr'autres, à cet égard,
dans la plus profonde sécurité et sans le moindre inconvénient. Quoiqu'ils soient presque nuds, dit François Corréal, ils ne laissent pas de
s'exposer hardiment dans les bois, armés seulement de la flèche et de
l'arc ; mais on n'a jamais ouï dire qu'aucun d'eux ait été dévoré des
bêtes. (Ed. 1782).

autres espéces, dont les petits ne sont de longtems en
état d'aller chercher eux-mêmes leur nourriture ; et si
l'Enfance est plus longue parmi nous, la vie étant plus
longue aussi, tout est encore à peu près égal en ce point [7],
quoiqu'il y ait sur la durée du premier âge, et sur le
nombre des petits [8], d'autres regles, qui ne sont pas de
mon Sujet. Chez les Vieillards, qui agissent et transpi-
rent peu, le besoin d'alimens diminue avec la faculté d'y
pourvoir ; Et comme la vie Sauvage éloigne d'eux la
goute et les rhumatismes, et que la vieillesse est de tous
les maux celui que les secours humains peuvent le moins
soulager, ils s'éteignent enfin, sans qu'on s'apperçoive
qu'ils cessent d'être, et presque sans s'en appercevoir
eux mêmes.

A l'égard des maladies, je ne repeterai point les
vaines et fausses déclamations que font contre la
Medecine la plûpart des gens en santé ; mais je demanderai s'il y a quelque observation solide de laquelle
on puisse conclure que dans les Pays, où cet art est le
plus negligé, la vie moyenne de l'homme soit plus courte
que dans ceux où il est cultivé avec le plus de soin ;
Et comment cela pourroit il être, si nous nous donnons
plus de maux que la Medecine ne peut nous fournir de
Remedes ! L'extrême inégalité dans la maniére de vivre,
l'excés d'oisiveté dans les uns, l'excés de travail dans
les autres, la facilité d'irriter et de satisfaire nos appetits
et notre sensualité, les alimens trop recherchés des riches,
qui les nourrissent de sucs échauffants et les accablent
d'indigestions, la mauvaise nourriture des Pauvres,
dont ils manquent même le plus souvent, et dont le
défaut les porte à surcharger avidement leur estomac
dans l'occasion, les veilles, les excés de toute espece,

les transports immoderés de toutes les Passions, les
fatigues, et l'épuisement d'Esprit, les chagrins, et les
peines sans nombre qu'on éprouve dans tous les états,
et dont les ames sont perpetuellement rongées ; Voilà
les funestes garands que la pluspart de nos maux sont
notre propre ouvrage, et que nous les aurions presque
tous évités, en conservant la maniére de vivre simple,
uniforme, et solitaire qui nous étoit prescrite par la
Nature. Si elle nous a destinés à être sains, j'ose presque
assurer, que l'état de réflexion est un état contre Nature,
et que l'homme qui médite est un animal dépravé.
Quand on songe à la bonne constitution des Sauvages,
au moins de ceux que nous n'avons pas perdus avec nos
liqueurs fortes, quand on sait qu'ils ne connoissent
presque d'autres maladies que les blessures et la vieillesse, on est très porté à croire qu'on feroit aisément
l'histoire des maladies humaines en suivant celle des
Sociétés civiles. C'est au moins l'avis de Platon, qui juge,
sur certains Remedes employés ou approuvés par Poda-
lyre et Macaon au siége de Troye, que diverses maladies
que ces remedes devoient exciter, n'étoient point
encore alors connues parmi les hommes*.

Avec si peu de sources de maux, l'homme dans l'état
de Nature n'a donc guéres besoin de remedes, moins
encore de Medecins ; l'espéce humaine n'est point non
plus à cet égard de pire condition que toutes les autres,
et il est aisé de savoir des Chasseurs si dans leurs courses
ils trouvent beaucoup d'animaux infirmes. Plusieurs en
trouvent-ils qui ont reçu des blessures considérables

---

* Et Celse rapporte que la diéte, aujourd'hui si nécessaire, ne fut
inventée que par Hipocrate. (Ed. 1782.)

très-bien cicatrisées, qui ont eu des os et même des
membres rompus et repris sans autre Chirurgien que
le tems, sans autre regime que leur vie ordinaire, et
qui n'en sont pas moins parfaitement guéris, pour
n'avoir point été tourmentés d'incisions, empoisonnés
de Drogues, ni extenués de jeûnes. Enfin, quelque utile
que puisse être parmi nous la médecine bien administrée,
il est toujours certain que si le Sauvage malade abandonné à lui-même n'a rien à espérer que de la Nature ;
en revanche il n'a rien à craindre que de son mal, ce
qui rend souvent sa situation préferable à la notre.

Gardons nous donc de confondre l'homme Sauvage
avec les hommes, que nous avons sous les yeux. La
Nature traite tous les animaux abandonnés à ses
soins avec une prédilection, qui semble montrer combien elle est jalouse de ce droit. Le Cheval, le Chat, le
Taureau, l'Ane même ont la plûpart une taille plus
haute, tous une constitution plus robuste, plus de
vigueur, de force, et de courage dans les forêts que dans
nos maisons ; ils perdent la moitié de ces avantages en
devenant Domestiques, et l'on diroit que tous nos
soins à bien traiter, et nourrir ces animaux, n'aboutissent qu'à les abatardir. Il en est ainsi de l'homme même :
En devenant sociable et Esclave, il devient foible,
craintif, rampant, et sa maniére de vivre molle et
efféminée acheve d'énerver à la fois sa force et son courage. Ajoutons qu'entre les conditions Sauvage et
Domestique la différence d'homme à homme doit être
plus grande encore que celle de bête à bête ; car l'animal, et l'homme ayant été traités également par la
Nature, toutes les commodités que l'homme se donne
de plus qu'aux animaux qu'il apprivoise, sont autant

de causes particuliéres qui le font dégénerer plus sensi-
blement.

Ce n'est donc pas un si grand malheur à ces premiers
hommes, ni surtout un si grand obstacle à leur conservation, que la nudité, le défaut d'habitation, et la privation de toutes ces inutilités, que nous croyons si necessaires. S'ils n'ont pas la peau velüe, ils n'en ont aucun
besoin dans les Païs chauds, et ils savent bientôt, dans
les Païs froids, s'approprier celle des Bêtes qu'ils ont
vaincues ; s'ils n'ont que deux pieds pour courir, ils
ont deux bras pour pourvoir à leur défense et à leurs
besoins ; Leurs Enfans marchent peut-être tard et
avec peine, mais les Meres les portent avec facilité ;
avantage qui manque aux autres espéces, où la mere
étant poursuivie, se voit contrainte d'abandonner ses
petits, ou de regler son pas sur le leur*. Enfin, à moins
de supposer ces concours singuliers et fortuits de circonstances, dont je parlerai dans la suite, et qui pouvoient fort bien ne jamais arriver, il est clair en tout
état de cause, que le premier qui se fit des habits ou
un Logement, se donna en cela des choses peu necessaires
puis qu'il s'en étoit passé jusqu'alors, et qu'on ne
voit pas pourquoi il n'eût pû supporter homme fait, un
un genre de vie qu'il supportoit dés son enfance.

Seul, oisif, et toujours voisin du danger, l'homme

---

* Il peut y avoir à ceci quelques exceptions. Celle, par exemple de
cet animal de la province de Nicaraga qui ressemble à un Renard, qui
a les pieds comme les mains d'un homme, et qui, selon Corréal, a sous
le ventre un sac où la mere met ses petits lorsqu'elle est obligée de fuir.
C'est sans doute le même animal qu'on appelle Tlaquatzin au Mexique,
et à la femelle duquel Laët donne un semblable sac pour le même usage.
(Ed. 1782).

Sauvage doit aimer à dormir, et avoir le sommeil léger
comme les animaux, qui pensant peu, dorment, pour
ainsi dire, tout le temps qu'ils ne pensent point : Sa
propre conservation faisant presque son unique soin,
ses facultés les plus exercées doivent être celles, qui ont
pour objet principal l'attaque et la défense, soit pour
subjuger sa proye, soit pour se garantir d'être celle
d'un autre animal : Au contraire, les organes qui ne se
perfectionnent que par la molesse et la sensualité,
doivent rester dans un état de grossiéreté, qui exclud
en lui toute espéce de délicatesse ; et ses sens se trouvant
partagés sur ce point, il aura le toucher et le goût d'une
rudesse extrême ; la veüe, l'oüie et l'odorat de la plus
grande subtilité : Tel est l'état animal en général, et
c'est aussi, selon le rapport des Voyageurs, celui de la
plûpart des Peuples Sauvages. Ainsi il ne faut point
s'étonner, que les Hottentots du Cap de Bonne Espérance découvrent, à la simple veüe des Vaisseaux en
haute mer d'aussi loin que les Hollandois avec des
Lunettes, ni que les Sauvages de l'Amérique sentissent
les Espagnols à la piste, comme auroient pu faire les
meilleurs Chiens, ni que toutes ces Nations Barbares
supportent sans peine leur nudité, aiguisent leur goût
à force de Piment, et boivent les Liqueurs Européennes
comme de l'eau.

Je n'ai considéré jusqu'ici que l'Homme Physique ;
Tâchons de le regarder maintenant par le côté Méta-
physique et Moral.

Je ne vois dans tout animal qu'une machine inge-
nieuse, à qui la nature a donné des sens pour se remonter
elle même, et pour se garantir, jusqu'à un certain point,
de tout ce qui tend à la détruire, ou à la déranger.

J'apperçois précisement les mêmes choses dans la machine humaine, avec cette différence que la Nature seule fait tout dans les operations de la Bête, au-lieu que l'homme concourt aux siennes, en qualité d'agent libre. L'un choisit ou rejette par instinct, et l'autre par un acte de liberté, ce qui fait que la Bête ne peut s'écarter de la Regle qui lui est préscrite, même quand il lui seroit avantageux de le faire, et que l'homme s'en écarte souvent à son préjudice. C'est ainsi qu'un Pigeon mourroit de faim près d'un Bassin rempli des meilleures viandes, et un Chat sur des tas de fruits, ou de grain, quoique l'un et l'autre pût très bien se nourrir de l'aliment qu'il dedaigne, s'il s'étoit avisé d'en essayer ; C'est ainsi que les hommes dissolus se livrent à des excès, qui leur causent la fiévre et la mort ; parce que l'Esprit déprave les sens, et que la volonté parle encore, quand la Nature se taît.

Tout animal a des idées puis qu'il a des sens, il combine même ses idées jusqu'à un certain point, et l'homme ne diffère à cet égard de la Bête que du plus au moins : Quelques Philosophes ont même avancé qu'il y a plus de différence de tel homme à tel homme que de tel homme à telle bête ; Ce n'est donc pas tant l'entendement qui fait parmi les animaux la distinction spécifique de l'homme que sa qualité d'agent libre. La Nature commande à tout animal, et la Bête obéït. L'homme éprouve la même impression, mais il se reconnoît libre d'acquiescer, ou de resister ; et c'est surtout dans la conscience, de cette liberté que se montre la spiritualité de son ame : car la Physique explique en quelque manière le mécanisme des sens et la formation des idées ; mais dans la puissance de vouloir ou plûtôt de choisir, et dans le sentiment de cette puissance on ne trouve que des actes purement spirituels, dont on n'explique rien par les Loix de la Mécanique.

Mais, quand les difficultés qui environnent toutes ces questions, laisseroient quelque lieu de disputer sur cette différence de l'homme et de l'animal, il y a une autre qualité très spécifique qui les distingue, et sur laquelle il ne peut y avoir de contestation, c'est la faculté de se perfectionner, faculté qui, à l'aide des circonstances, développe successivement toutes les autres, et réside parmi nous tant dans l'espéce, que dans l'individu, au lieu qu'un animal est, au bout de quelques mois, ce qu'il sera toute sa vie, et son espéce, au bout de mille ans, ce qu'elle étoit la premiere année de ces mille ans. Pourquoi l'homme seul est il sujet à devenir imbécile ? N'est ce point qu'il retourne ainsi dans son état primitif, et que, tandis que la Bête, qui n'a rien acquis et qui n'a rien non plus à perdre, reste toujours avec son instinct, l'homme reperdant par la vieillesse ou d'autres accidens, tout ce que sa *perfectibilité* lui avoit fait acquerir, retombe ainsi plus bas que la Bête même ? Il seroit triste pour nous d'être forcés de convenir, que cette faculté distinctive, et presque illimitée, est la source de tous les malheurs de l'homme ; que c'est elle qui le tire, à force de tems, de cette condition originaire, dans laquelle il couleroit des jours tranquilles, et inno- cens ; que c'est elle, qui faisant éclore avec les siécles ses lumiéres et ses erreurs, ses vices et ses vertus, le rend à la longue le tiran de lui-même, et de la Nature [9]. Il seroit affreux d'être obligés de loüer comme un être bien-faisant celui qui le premier suggera à l'habitant des Rives de l'Orenoque l'usage de ces Ais qu'il applique sur les tempes de ses Enfans, et qui leur assurent du moins une partie de leur imbecilité, et de leur bonheur originel.

L'Homme Sauvage, livré par la Nature au seul instinct, ou plûtôt dédommagé de celui qui lui manque peut-être, par des facultés capables d'y suppléer d'abord, et de l'élever ensuite fort au-dessus de celle là, commencera donc par les fonctions purement animales [10] : appercevoir et sentir sera son premier état, qui lui sera commun avec tous les animaux. Vouloir et ne pas vouloir, désirer et craindre, seront les premiéres, et presque les seules operations de son ame, jusqu'à ce que de nouvelles circonstances y causent de nouveaux développements.

Quoiqu'en disent les Moralistes, l'entendement humain doit beaucoup aux Passions, qui, d'un commun aveu, lui doivent beaucoup aussi ; C'est par leur activité, que notre raison se perfectionne ; Nous ne cherchons à connoître, que parce que nous désirons de jouïr, et il n'est pas possible de concevoir pourquoi celui qui n'auroit ni desirs ni craintes se donneroit la peine de raisonner. Les Passions, à leur tour, tirent leur origine de nos besoins, et leur progrés de nos connoissances ; car on ne peut desirer ou craindre les choses, que sur les idées qu'on en peut avoir, ou par la simple impulsion de la Nature ; et l'homme Sauvage, privé de toute sorte de lumiéres, n'éprouve que les Passions de cette derniére espéce ; Ses desirs ne passent pas ses besoins Physiques [11] ; les seuls biens qu'il connoisse dans l'Univers, sont la nourriture, une femelle, et le repos ; les seuls maux qu'il craigne, sont la douleur, et la faim ; Je dis la douleur, et non la mort ; car jamais l'animal

ne saura ce que c'est que mourir, et la connoissance de
la mort, et de ses terreurs, est une des premieres acquisitions que l'homme ait faites, en s'éloignant de la
condition animale.

Il me seroit aisé, si cela m'étoit nécessaire, d'appuier
ce sentiment par les faits, et de faire voir, que chez toutes
les Nations du monde, les progrès de l'Esprit se sont
précisement proportionnés aux besoins, que les Peuples
avoient reçus de la Nature, ou auxquels les circonstances
les avoient assujetis, et par consequent aux passions,
qui les portoient à pourvoir à ces besoins. Je montrerois
en Égypte les arts naissans, et s'étendant avec les débor-
demens du Nil ; Je suivrois leur progrès chez les Grecs,
où l'on les vit germer, croître, et s'élever jusqu'aux
Cieux parmi les Sables, et les Rochers de l'Attique, sans
pouvoir prendre racine sur les Bords fertiles de l'Eu-
rotas ; Je remarquerois qu'en général les Peuples du Nord
sont plus industrieux que ceux du midi, parce qu'ils
peuvent moins se passer de l'être, comme si la Nature
vouloit ainsi égaliser les choses, en donnant aux Esprits
la fertilité qu'elle refuse à la Terre.

Mais sans recourir aux témoignages incertains de
l'Histoire, qui ne voit que tout semble éloigner de l'homme Sauvage la tentation et les moyens de cesser de
l'être? Son imagination ne lui peint rien ; son cœur ne
lui demande rien. Ses modiques besoins se trouvent si
aisément sous sa main, et il est si loin du degré de connoissances nécessaire pour désirer d'en acquérir de plus
grandes, qu'il ne peut avoir ni prévoyance, ni curiosité.
Le spectacle de la Nature lui devient indifférent, à force
de lui devenir familier. C'est toujours le même ordre,
ce sont toujours les mêmes révolutions ; il n'a pas l'es-

prit de s'étonner des plus grandes merveilles ; et ce n'est pas chez lui qu'il faut chercher la Philosophie dont l'homme a besoin, pour savoir observer une fois ce qu'il a vû tous les jours. Son ame, que rien n'agite, se livre au seul sentiment de son existence actuelle, sans aucune idée de l'avenir, quelque prochain qu'il puisse être, et ses projets bornés comme ses vûes, s'étendent à peine jusqu'à la fin de la journée. Tel est encore aujourd'hui le degré de prévoyance du Caraybe : il vend le matin son lit de Coton, et vient pleurer le soir pour le racheter, faute d'avoir prevû qu'il en auroit besoin pour la nuit prochaine.

Plus on médite sur ce sujet, plus la distance des pures sensations aux simples connoissances s'aggrandit à nos regards ; et il est impossible de concevoir comment un homme auroit pû par ses seules forces, sans le secours de la communication, et sans l'aiguillon de la nécessité, franchir un si grand intervale. Combien de siècles se sont peut-être écoulés avant que les hommes ayent été à portée de voir d'autre feu que celui du Ciel ? Combien ne leur a-t-il pas falu de différents hazards pour apprendre les usages les plus communs de cet élément ? Combien de fois ne l'ont ils pas laissé éteindre, avant que d'avoir acquis l'art de le reproduire ? Et combien de fois peut-être chacun de ces secrets n'est-il pas mort avec celui qui l'avoit découvert ? Que dirons nous de l'agriculture, art qui demande tant de travail et de prévoyance ; qui tient à d'autres arts, qui très évidemment n'est pratiquable que dans une société au moins commencée, et qui ne nous sert pas tant à tirer de la Terre des alimens qu'elle fourniroit bien sans cela, qu'à la forcer aux préférences, qui sont le plus de notre goût ?

Mais supposons que les hommes eussent tellement multiplié, que les productions naturelles n'eussent plus
suffi pour les nourrir ; supposition qui, pour le dire en
passant, montreroit un grand avantage pour l'Espéce
humaine dans cette maniére de vivre ; Supposons que
sans forges, et sans Ateliers, les instruments du Labourage fussent tombés du Ciel entre les mains des Sauvages ; que ces hommes eussent vaincu la haîne mortelle
qu'ils ont tous pour un travail continu ; qu'ils eussent
appris à prévoir de si loin leurs besoins, qu'ils eussent
deviné comment il faut cultiver la Terre, semer les
grains, et planter les Arbres ; qu'ils eussent trouvé l'art
de moudre le Bled, et de mettre le raisin en fermentation ; toutes choses qu'il leur a falu faire enseigner par
les Dieux, faute de concevoir comment ils les auroient
apprises d'eux mêmes ; quel seroit après cela, l'homme
assés insensé pour se tourmenter à la culture d'un Champ
qui sera dépouillé par le premier venu, homme, ou bête
indifféremment, à qui cette moisson conviendra ; et
comment chacun pourra-t-il se resoudre à passer sa vie
à un travail penible, dont il est d'autant plus sûr de ne
pas recueillir le prix, qu'il lui sera plus nécessaire? En
un mot, comment cette situation pourra-t-elle porter
les hommes à cultiver la Terre, tant qu'elle ne sera point
partagée entre eux, c'est-à-dire, tant que l'état de Nature ne sera point anéanti?

Quand nous voudrions supposer un homme Sauvage
aussi habile dans l'art de penser que nous le font nos
Philosophes ; quand nous en ferions, à leur exemple, un
Philosophe lui-même, découvrant seul les plus sublimes
vérités, se faisant, par des suites de raisonnements très
abstraits, des maximes de justice et de raison tirées de

l'amour de l'ordre en général, ou de la volonté connue de son Createur ; En un mot, quand nous lui supposerions dans l'Esprit autant d'intelligence, et de lumiéres qu'il doit avoir, et qu'on lui trouve en effet de pesanteur et de stupidité, quelle utilité retireroit l'Espéce de toute cette Métaphisique, qui ne pourroit se communiquer et qui periroit avec l'individu qui l'auroit inventée? Quel progrès pourroit faire le Genre humain épars dans les Bois parmi les Animaux? Et jusqu'à quel point pourroient se perfectionner, et s'éclairer mutuellement des hommes qui, n'ayant ni Domicile fixe ni aucun besoin l'un de l'autre, se rencontreroient, peut-être à peine deux fois en leur vie, sans se connoître, et sans se parler?

Qu'on songe de combien d'idées nous sommes redevables à l'usage de la parole ; Combien la Grammaire exerce, et facilite les operations de l'Esprit ; et qu'on pense aux peines inconcevables, et au tems infini qu'a dû coûter la première invention des Langues ; qu'on joigne ces réflexions aux précédentes, et l'on jugera combien il eût falu de milliers de Siécles, pour développer successivement dans l'Esprit humain les Opérations, dont il étoit capable.

Qu'il me soit permis de considerer un instant les embarras de l'origine des Langues. Je pourrois me contenter de citer ou de repeter ici les recherches que Mr. l'Abbé de Condillac a faites sur cette matiére, qui toutes confirment pleinement mon sentiment, et qui, peut-être, m'en ont donné la première idée. Mais la maniére dont ce Philosophe résout les difficultés qu'il se fait à lui-même sur l'origine des signes institués, montrant qu'il a supposé ce que je mets en question, savoir une sorte de société déjà établie entre les inventeurs du langage,

je crois en renvoyant à ses réflexions devoir y joindre
les miennes pour exposer les mêmes difficultés dans le
jour qui convient à mon sujet. La prémiére qui se pré-
sente est d'imaginer comment elles purent devenir nécessaires ; car les Hommes n'ayant nulle correspondance
entre eux, ni aucun besoin d'en avoir, on ne conçoit ni la
nécessité de cette invention, ni sa possibilité, si elle ne
fut pas indispensable. Je dirois bien, comme beaucoup
d'autres, que les Langues sont nées dans le commerce
domestique des Peres, des Meres, et des Enfans : mais
outre que cela ne résoudroit point les objections, ce seroit
commettre la faute de ceux qui raisonnant sur l'Etat de
Nature, y transportent des idées prises dans la Société,
voyent toujours la famille rassemblée dans une même
habitation, et ses membres gardant entre eux une union
aussi intime et aussi permanente que parmi nous, où tant
d'intérêts communs les réunissent ; au lieu que dans cet
état primitif, n'ayant ni Maison, ni Cabanes, ni propriété
d'aucune espéce, chacun se logeoit au hazard, et souvent
pour une seule nuit ; les mâles, et les femelles s'unis-
soient fortuitement selon la rencontre, l'occasion, et le
desir, sans que la parole fût un interprête fort nécessaire
des choses qu'ils avoient à se dire : Ils se quittoient avec
la même facilité [12] ; La mere allaitoit d'abord ses Enfans pour son propre besoin ; puis l'habitude les lui
ayant rendus chers, elle les nourrissoit ensuite pour le
leur ; sitôt qu'ils avoient la force de chercher leur pâture,
ils ne tardoient pas à quitter la Mere elle même ; Et
comme il n'y avoit presque point d'autre moyen de se
retrouver que de ne pas se perdre de vûe, ils en étoient
bientôt au point de ne pas même se reconnoître les uns
les autres. Remarquez encore que l'enfant ayant tous

ses besoins à expliquer, et par conséquent plus de choses
à dire à la Mere, que la Mere à l'Enfant, c'est lui qui
doit faire les plus grands frais de l'invention, et que la
langue qu'il employe doit être en grande partie son
propre ouvrage ; ce qui multiplie autant les Langues
qu'il y a d'individus pour les parler, à quoi contribue
encore la vie errante, et vagabonde qui ne laisse à aucun
idiome le tems de prendre de la consistance ; car de dire
que la Mere dicte à l'Enfant les mots, dont il devra se
servir pour lui demander telle, ou telle chose, cela montre
bien comment on enseigne des Langues déjà formées,
mais cela n'apprend point comment elles se forment.

Supposons cette premiére difficulté vaincue : Fran-
chissons pour un moment l'espace immense qui dut se
trouver entre le pur état de Nature et le besoin des
Langues ; et cherchons, en les supposant nécessaires [13],
comment elles purent commencer à s'établir. Nouvelle
difficulté pire encore que la précédente ; car si les Hommes ont eu besoin de la parole pour apprendre à penser,
ils ont eu bien plus besoin encore de savoir penser pour
trouver l'art de la parole ; et quand on comprendroit
comment les sons de la voix ont été pris pour les interprétes conventionnels de nos idées, il resteroit toûjours
à sçavoir quels ont pû être les interprétes mêmes de cette
convention pour les idées qui, n'ayant point un objet
sensible, ne pouvoient s'indiquer ni par le geste, ni par
la voix, de sorte qu'à peine peut-on former des conjectures supportables sur la naissance de cet Art de communiquer ses pensées, et d'établir un commerce entre
les Esprits : Art sublime qui est déjà si loin de son Origine, mais que le Philosophe voit encore à une si prodigieuse distance de sa perfection, qu'il n'y a point

d'homme assés hardi, pour assurer qu'il y arriveroit
jamais, quand les révolutions que le tems amene nécessairement seroient suspendues en sa faveur, que les
préjugés sortiroient des académies ou se tairoient devant elles, et qu'elles pourroient s'occuper de cet objet
épineux durant des siècles entiers sans interruption.

Le premier langage de l'homme, le langage le plus
universel, le plus énergique, et le seul dont il eut besoin,
avant qu'il fallut persuader des hommes assemblés, est
le cri de la Nature. Comme ce cri n'étoit arraché que
par une sorte d'instinct dans les occasions pressantes,
pour implorer du secours dans les grands dangers, ou du
soulagement dans les maux violens, il n'étoit pas d'un
grand usage dans le cours ordinaire de la vie, où regnent
des sentimens plus modérés. Quand les idées des hommes commencérent à s'étendre et à se multiplier, et qu'il
s'établit entre eux une communication plus étroite,
ils cherchérent des signes plus nombreux et un langage
plus étendu : Ils multipliérent les inflexions de la voix,
et y joignirent les gestes, qui, par leur Nature, sont plus
expressifs, et dont le sens depend moins d'une déter-
mination antérieure. Ils exprimoient donc les objets
visibles et mobiles par des gestes, et ceux qui frappent
l'ouye, par des sons imitatifs : mais comme le geste n'indique guéres que les objets présens, ou facile à décrire,
et les actions visibles ; qu'il n'est pas d'un usage universel, puisque l'obscurité, ou l'interposition d'un corps
le rendent inutile, et qu'il exige l'attention plûtôt qu'il
ne l'excite ; on s'avisa enfin de lui substituer les articu-
lations de la voix, qui, sans avoir le même rapport avec
certaines idées, sont plus propres à les représenter toutes,
comme signes institués ; substitution qui ne put se faire

que d'un commun consentement, et d'une maniére assés
difficile à pratiquer pour des hommes dont les organes
grossiers n'avoient encore aucun exercice, et plus difficile encore à concevoir en elle-même, puisque cet accord
unanime dut être motivé, et que la parole paroît avoir
été fort nécessaire, pour établir l'usage de la parole.

On doit juger que les premiers mots, dont les hommes
firent usage, eurent dans leur Esprit une signification
beaucoup plus étendue que n'ont ceux qu'on employe
dans les Langues déjà formées, et qu'ignorant la Division du Discours en ses parties constitutives, ils donnérent d'abord à chaque mot le sens d'une proposition
entiére. Quand ils commencérent à distinguer le sujet
d'avec l'attribut, et le verbe d'avec le nom, ce qui ne fut
pas un médiocre effort de genie, les substantifs ne furent
d'abord qu'autant de noms propres *, l'infinitif fut le
seul tems des verbes, et à l'égard des adjectifs la notion
ne s'en dut développer que fort difficilement, parce que
tout adjectif est un mot abstrait, et que des abstrac-
tions sont des Opérations pénibles et peu naturelles.

Chaque objet reçut d'abord un nom particulier, sans
égard aux genres, et aux Espéces, que ces premiers Ins-
tituteurs n'étoient pas en état de distinguer ; et tous les
individus se présentérent isolés à leur esprit, comme ils
le sont dans le tableau de la Nature. Si un Chêne s'appelloit A, un autre Chêne s'appelloit B ** : de sorte que
plus les connoissances étoient bornées, et plus le Dic-
tionnaire devint étendu. L'embarras de toute cette No-

---

* Le présent de l'infinitif. (Ed. 1782.)

** car la premiere idée qu'on tire de deux choses, c'est qu'elles ne
sont pas la même ; et il faut souvent beaucoup de tems pour observer
ce qu'elles ont de commun. (Ed. 1782.)

menclature ne put être levé facilement : car pour ranger
les êtres sous des dénominations communes, et généri-
ques, il en falloit connoître les propriétés et les différences ; il falloit des observations, et des définitions,
c'est-à-dire, de l'Histoire Naturelle et de la Métaphy-
sique, beaucoup plus que les hommes de ce tems-là n'en
pouvoient avoir.

D'ailleurs, les idées générales ne peuvent s'introduire
dans l'esprit qu'à l'aide des mots, et l'entendement ne
les saisit que par des propositions. C'est une des raisons
pourquoi les animaux ne sauroient se former de telles
idées, ni jamais acquerir la perfectibilité qui en dépend.
Quand un Singe va sans hésiter d'une noix à l'autre,
pense-t-on qu'il ait l'idée générale de cette sorte de fruit,
et qu'il compare son archetype à ces deux individus?
Non sans doute ; mais la vûe de l'une de ces noix rappelle à sa mémoire les sensations qu'il a reçues de l'autre,
et ses yeux modifiés d'une certaine maniére annoncent
à son goût la modification qu'il va recevoir. Toute idée
générale est purement intellectuelle ; pour peu que
l'imagination s'en mêle, l'idée devient aussitôt particuliére. Essayez de vous tracer l'image d'un arbre en
général, jamais vous n'en viendrez à bout, malgré vous
il faudra le voir petit ou grand, rare ou touffu, clair ou
foncé, et s'il dépendoit de vous de n'y voir que ce qui
se trouve en tout arbre, cette image ne ressembleroit
plus à un arbre. Les êtres purement abstraits se voyent
de même, ou ne se conçoivent que par le discours. La
définition seule du Triangle vous en donne la véritable
idée : Sitôt que vous en figurez un dans vôtre esprit,
c'est un tel Triangle et non pas un autre, et vous ne pouvez éviter d'en rendre les lignes sensibles ou le plan co-

loré. Il faut donc énoncer des propositions, il faut donc
parler pour avoir des idées générales ; car sitôt que l'i-
magination s'arrête, l'esprit ne marche plus qu'à l'aide
du discours. Si donc les premiers Inventeurs n'ont pu
donner des noms qu'aux idées qu'ils avoient déjà, il
s'ensuit que les premiers substantifs n'ont pu jamais
être que des noms propres.

Mais lorsque, par des moyens que je ne conçois pas,
nos nouveaux Grammairiens commencérent à étendre
leurs idées et à généraliser leurs mots, l'ignorance des
Inventeurs dut assujetir cette methode à des bornes fort
étroites ; et comme ils avoient d'abord trop multiplié les
noms des individus faute de connaître les genres et les
espéces, ils firent ensuite trop peu d'espéces et de genres,
faute d'avoir considéré les Etres par toutes leurs différences. Pour pousser les divisions assez loin, il eut fallu
plus d'expérience et de lumière qu'ils n'en pouvoient
avoir, et plus de recherches et de travail qu'ils n'y en
vouloient employer. Or si, même aujourd'hui, l'on dé-
couvre chaque jour de nouvelles espéces qui avoient
échappé jusqu'ici à toutes nos observations, qu'on
pense combien il dut s'en dérober à des hommes qui ne
jugeoient des choses que sur le premier aspect! Quant
aux Classes primitives et aux notions les plus générales,
il est superflu d'ajouter qu'elles durent leur échapper
encore : Comment, par exemple, auroient-ils imaginé ou
entendu les mots de matiére, d'esprit, de substance, de
mode, de figure, de mouvement, puisque nos Philosophes qui s'en servent depuis si long tems, ont bien de
la peine à les entendre eux-mêmes, et que les idées qu'on
attache à ces mots étant purement Métaphysiques, ils
n'en trouvoient aucun modéle dans la Nature?

Je m'arrête à ces premiers pas, et je supplie mes Juges
de suspendre ici leur Lecture ; pour considérer, sur
l'invention des seuls substantifs Physiques, c'est-à-dire,
sur la partie de la Langue la plus facile à trouver, le
chemin qui lui reste à faire, pour exprimer toutes les
penséés des hommes, pour prendre une forme constante,
pouvoir être parlée en public, et influer sur la Société :
Je les supplie de réflechir à ce qu'il a fallu de tems, et de
connoissances pour trouver les nombres [14], les mots
abstraits, les Aoristes, et tous les tems des Verbes, les
particules, la Sintaxe, lier les Propositions, les raisonnemens, et former toute la Logique du Discours. Quant
à moi, effrayé des difficultés qui se multiplient, et
convaincu de l'impossibilité presque démontrée que les
Langues ayent pû naître, et s'établir par des moyens
purement humains, je laisse à qui voudra l'entreprendre,
la discussion de ce difficile Problême, lequel a été le plus
nécessaire, de la Société déjà liée, à l'institution des
Langues, ou des Langues déjà inventées, à l'établissement de la Société.

Quoiqu'il en soit de ces origines, on voit du moins,
au peu de soin qu'a pris la Nature de rapprocher les
Hommes par des besoins mutuels, et de leur faciliter
l'usage de la parole, combien elle a peu préparé leur
Sociabilité, et combien elle a peu mis du sien dans tout
ce qu'ils ont fait, pour en établir les liens. En effet, il
est impossible d'imaginer pourquoi dans cet état primitif un homme auroit plûtôt besoin d'un autre homme qu'un singe ou un Loup de son semblable, ni
ce besoin supposé, quel motif pourroit engager l'autre
à y pourvoir, ni même, en ce dernier cas, comment ils
pourroient convenir entr'eux des conditions. Je sçai

qu'on nous répéte sans cesse que rien n'eût été si misérable que l'homme dans cet état ; et s'il est vrai, comme
je crois l'avoir prouvé, qu'il n'eût pu, qu'après bien des
Siécles, avoir le désir, et l'occasion d'en sortir, ce seroit
un Procès à faire à la Nature, et non à celui qu'elle auroit ainsi constitué ; Mais, si j'entends bien ce terme
de *miserable,* c'est un mot qui n'a aucun sens, ou qui ne
signifie qu'une privation douloureuse et la souffrance
du Corps ou de l'ame : Or je voudrois bien qu'on m'ex-
pliquât quel peut être le genre de misére d'un être libre,
dont le cœur est en paix, et le corps en santé. Je demande
laquelle, de la vie Civile ou naturelle, est la plus sujette
à devenir insupportable à ceux qui en jouïssent? Nous
ne voyons presque autour de nous que des Gens qui se
plaignent de leur existence ; plusieurs mêmes qui s'en
privent autant qu'il est en eux, et la réunion des Loix
divine et humaine suffit à peine pour arrêter ce desordre : Je demande si jamais on a ouï dire qu'un Sauvage
en liberté ait seulement songé à se plaindre de la vie et
à se donner la mort? Qu'on juge donc avec moins d'orgueil de quel côté est la véritable misère. Rien au contraire n'eût été si misérable que l'homme Sauvage,
ébloui par des lumieres, tourmenté par des Passions, et
raisonnant sur un état différent du sien. Ce fut par une
Providence très sage, que les facultés qu'il avoit en puissance ne devoient se développer qu'avec les occasions
de les exercer, afin qu'elles ne lui fussent ni superflues
et à charge avant le tems, ni tardives, et inutiles au
besoin. Il avoit dans le seul instinct tout ce qu'il lui falloit pour vivre dans l'état de Nature, il n'a dans une
raison cultivée que ce qu'il lui faut pour vivre en société.

Il paroît d'abord que les hommes dans cet état n'ayant

entre eux aucune sorte de relation morale, ni de devoirs
connus, ne pouvoient être ni bons, ni méchans, et
n'avoient ni vices ni vertus, à moins que, prenant ces
mots dans un sens physique, on n'appelle vices dans l'individu, les qualités qui peuvent nuire à sa propre conservation, et vertus celles qui peuvent y contribuer ; auquel cas il faudroit appeller le plus vertueux, celui qui
résisteroit le moins aux simples impulsions de la Nature :
Mais sans nous écarter du sens ordinaire, il est à propos
de suspendre le jugement, que nous pourrions porter
sur une telle situation, et de nous defier de nos Préjugés,
jusqu'à ce que, la Balance à la main, on ait examiné s'il y a plus de vertus que de vices parmi les hommes civilisés, ou si leurs vertus sont plus avantageuses
que leurs vices ne sont funestes, ou si le progrès de leurs
connoissances est un dédommagement suffisant des maux
qu'ils se font mutuellement, à mesure qu'ils s'instruisent du bien qu'ils devroient se faire, ou s'ils ne seroient
pas, à tout prendre, dans une situation plus heureuse
de n'avoir ni mal à craindre ni bien à esperer de personne, que de s'être soumis à une dépendance universelle, et de s'obliger à tout recevoir de ceux qui ne
s'obligent à leur rien donner.

N'allons pas surtout conclure avec Hobbes que pour
n'avoir aucune idée de la bonté, l'homme soit naturellement méchant, qu'il soit vicieux parce qu'il ne connoît
pas la vertu, qu'il refuse toujours à ses semblables des
services qu'il ne croit pas leur devoir, ni qu'en vertu
du droit qu'il s'attribue avec raison aux choses dont il
a besoin, il s'imagine follement être le seul propriétaire
de tout l'Univers. Hobbes a très bien vû le défaut de
toutes les définitions modernes du droit Naturel : mais

les conséquences qu'il tire de la sienne montrent qu'il
la prend dans un sens, qui n'est pas moins faux. En raisonnant sur les principes qu'il établit, cet Auteur devoit
dire que l'état de Nature étant celui où le soin de notre
conservation est le moins préjudiciable à celle d'autrui,
cet état étoit par conséquent le plus propre à la Paix,
et le plus convenable au Genre-Humain. Il dit précisément le contraire, pour avoir fait entrer mal à propos
dans le soin de la conservation de l'homme Sauvage,
le besoin de satisfaire une multitude de passions qui
sont l'ouvrage de la Société, et qui ont rendu les Loix
nécessaires. Le méchant, dit-il, est un Enfant robuste ;
Il reste à savoir si l'Homme Sauvage est un Enfant
robuste ; Quand on le lui accorderoit, qu'en conclueroit-
il? Que si, quand il est robuste, cet homme étoit aussi
dépendant des autres que quand il est foible, il n'y a
sorte d'excès auxquels il ne se portât, qu'il ne battît sa
Mére lorsqu'elle tarderoit trop à lui donner la mamelle,
qu'il n'étranglât un de ses jeunes freres, lorsqu'il en
seroit incommodé, qu'il ne mordît la jambe à l'autre
lorsqu'il en seroit heurté ou troublé ; mais ce sont deux
suppositions contradictoires dans l'état de Nature
qu'être robuste et dépendant ; L'Homme est foible
quand il est dépendant, et il est émancipé avant que
d'être robuste. Hobbes n'a pas vû que la même cause
qui empêche les Sauvages d'user de leur raison, comme
le prétendent nos Jurisconsultes, les empêche en même
tems d'abuser de leurs facultés, comme il le prétend lui-
même ; de sorte qu'on pourroit dire que les Sauvages ne
sont pas méchans précisément, parce qu'ils ne savent
pas ce que c'est qu'être bons ; car ce n'est ni le développement des lumiéres, ni le frein de la Loi, mais le calme des

passions, et l'ignorance du vice qui les empêche de mal
faire ; *tanto plus in illis proficit vitiorum ignoratio,
quàm in his cognitio virtutis*. Il y a d'ailleurs un autre
Principe que Hobbes n'a point apperçû et qui, ayant été
donné à l'homme pour adoucir, en certaines circonstances, la férocité de son amour propre, ou le désir de se
conserver avant la naissance de cet amour [15], tempere
l'ardeur qu'il a pour son bien-être par une répugnance
innée à voir souffrir son semblable. Je ne crois pas avoir
aucune contradiction à craindre, en accordant à l'homme
la seule vertu Naturelle, qu'ait été forcé de reconnoître
le Detracteur le plus outré des vertus humaines. Je parle
de la Pitié, disposition convenable à des êtres aussi
foibles, et sujets à autant de maux que nous le sommes ;
vertu d'autant plus universelle et d'autant plus utile à
l'homme, qu'elle précede en lui l'usage de toute réflexion,
et si Naturelle que les Bêtes mêmes en donnent quel-
quesfois des signes sensibles. Sans parler de la tendresse
des Méres pour leurs petits, et des périls qu'elles bravent,
pour les en garantir, on observe tous les jours la répugnance qu'ont les Chevaux à fouler aux pieds un Corps
vivant ; Un animal ne passe point sans inquiétude auprès
d'un animal mort de son Espéce : Il y en a même qui
leur donnent une sorte de sepulture ; Et les tristes mu-
gissemens du Bétail entrant dans une Boucherie, annoncent l'impression qu'il reçoit de l'horrible spectacle qui le
frappe. On voit avec plaisir l'auteur de la *Fable des Abeil-
les*, forcé de reconnoître l'homme pour un Etre compa-
tissant et sensible, sortir dans l'exemple qu'il en donne,
de son stile froid et subtil, pour nous offrir la pathétique
image d'un homme enfermé qui apperçoit au dehors une
Bête féroce, arrachant un Enfant du sein de sa Mére,

brisant sous sa dent meurtriére les foibles membres, et
déchirant de ses ongles les entrailles palpitantes de cet
Enfant. Quelle affreuse agitation n'éprouve point ce
témoin d'un évenement auquel il ne prend aucun intérêt
personnel? Quelles angoisses ne souffre-t-il pas à cette
veüe, de ne pouvoir porter aucun secours à la Mére
évanoüie, ni à l'Enfant expirant?

Tel est le pur mouvement de la Nature, antérieur à
toute réflexion : telle est la force de la pitié naturelle,
que les mœurs les plus dépravées ont encore peine à
détruire, puisqu'on voit tous les jours dans nos spectacles
s'attendrir et pleurer aux malheurs d'un infortuné, tel,
qui, s'il étoit à la place du Tiran, aggraveroit encore les
tourmens de son ennemi *. Mandeville a bien senti
qu'avec toute leur morale les hommes n'eussent jamais
été que des monstres, si la Nature ne leur eût donné la
pitié à l'appui de la raison : mais il n'a pas vû que de
cette seule qualité découlent toutes les vertus sociales
qu'il veut disputer aux hommes. En effet, qu'est-ce
que la générosité, la Clemence, l'Humanité, sinon la
Pitié appliquée aux foibles, aux coupables, ou à l'espéce
humaine en général? La Bienveillance et l'amitié
même sont, à le bien prendre, des productions d'une

---

* semblable au sanguinaire Sylla, si sensible aux maux qu'il n'avoit
pas causés, ou à cet Alexandre de Phére qui n'osoit assister à la repré-
sentation d'aucune tragédie, de peur qu'on ne le vît gémir avec Andro-
maque et Priam, tandis qu'il écoutoit sans émotion les cris de tant de
citoyens qu'on égorgeoit tous les jours par ses ordres.

Mollissima corda
Humane generi dare se Natura fatetur,
Quæ lacrymas dedit. (Ed. 1782.)

pitié constante, fixée sur un objet particulier : car désirer
que quelqu'un ne souffre point, qu'est-ce autre chose,
que désirer qu'il soit heureux? Quand il seroit vrai que
la commiseration ne seroit qu'un sentiment qui nous
met à la place de celui qui souffre, sentiment obscur et
vif dans l'homme Sauvage, développé, mais foible dans
l'homme Civil, qu'importeroit cette idée à la vérité de ce
que je dis, sinon de lui donner plus de force? En effet,
la commiseration sera d'autant plus énergique que l'animal Spectateur s'identifiera plus intimement avec l'animal souffrant : Or il est évident que cette identification
a dû être infiniment plus étroite dans l'état de Nature
que dans l'état de raisonnement. C'est la raison qui
engendre l'amour propre, et c'est la réflexion qui le
fortifie ; C'est elle qui replie l'homme sur lui-même ;
c'est elle qui le sépare de tout ce qui le gêne et l'afflige :
C'est la Philosophie qui l'isole ; c'est par elle qu'il dit
en secret, à l'aspect d'un homme souffrant, peris si tu
veux, je suis en sûreté. Il n'y a plus que les dangers de
la société entiére qui troublent le sommeil tranquille
du Philosophe, et qui l'arrachent de son lit. On peut
impunément égorger son semblable sous sa fenestre ;
il n'a qu'à mettre ses mains sur ses oreilles et s'argu-
menter un peu, pour empêcher la Nature qui se revolte
en lui, de l'identifier avec celui qu'on assassine. L'homme
Sauvage n'a point cet admirable talent ; et faute de
sagesse et de raison, on le voit toujours se livrer étour-
diment au premier sentiment de l'Humanité. Dans les
Émeutes, dans les querelles des Rües, la Populace s'as-
semble, l'homme prudent s'éloigne : C'est la canaille, ce
sont les femmes des Halles, qui séparent les combattants,
et qui empêchent les honnêtes gens de s'entr'égorger.

Il est donc bien certain que la pitié est un sentiment
naturel, qui modérant dans chaque individu l'activité
de l'amour de soi même, concourt à la conservation
mutuelle de toute l'espèce. C'est elle, qui nous porte
sans réflexion au secours de ceux que nous voyons souffrir : c'est elle qui, dans l'état de Nature, tient lieu de
Loix, de mœurs, et de vertu, avec cet avantage que nul
n'est tenté de désobéir à sa douce voix : C'est elle qui
détournera tout Sauvage robuste d'enlever à un foible
enfant, ou à un vieillard infirme, sa subsistance acquise
avec peine, si lui-même espère pouvoir trouver la sienne
ailleurs : C'est elle qui, au lieu de cette maxime sublime
de justice raisonnée ; *Fais à autrui comme tu veux qu'on
te fasse,* inspire à tous les Hommes cette autre maxime
de bonté naturelle bien moins parfaite, mais plus utile
peut-être que la précédente. *Fais ton bien avec le moindre
mal d'autrui qu'il est possible.* C'est en un mot dans ce
sentiment Naturel, plûtôt que dans des argumens sub-
tils, qu'il faut chercher la cause de la répugnance que
tout homme éprouveroit à mal faire, même indépendamment des maximes de l'éducation. Quoi qu'il puisse
appartenir à Socrate, et aux Esprits de sa trempe,
d'acquerir de la vertu par raison, il y a longtems que le
Genre-humain ne seroit plus, si sa conservation n'eût
dépendu que des raisonnemens de ceux qui le composent.

Avec des passions si peu actives, et un frein si salutaire, les hommes plûtôt farouches que méchans, et
plus attentifs à se garantir du mal qu'ils pouvoient recevoir, que tentés d'en faire à autrui, n'étoient pas sujets
à des démêlés fort dangereux : Comme ils n'avoient entre
eux aucune espéce de commerce ; qu'ils ne connoissoient
par conséquent ni la vanité, ni la considération, ni l'es-

time, ni le mépris ; qu'ils n'avoient pas la moindre
notion du tien et du mien, ni aucune veritable idée de
la justice ; qu'ils regardoient les violences, qu'ils pouvoient essuyer, comme un mal facile à réparer, et non
comme une injure qu'il faut punir, et qu'ils ne songeoient pas même à la vengeance, si ce n'est peut-être
machinalement et sur le champ, comme le chien qui
mord la pierre qu'on lui jette ; leurs disputes eussent
eu rarement des suites sanglantes, si elles n'eussent
point eu de sujet plus sensible que la Pâture : mais j'en
vois un plus dangereux, dont il me reste à parler.

Parmi les passions qui agitent le cœur de l'homme, il
en est une ardente, impétueuse, qui rend un séxe necessaire à l'autre, passion terrible qui brave tous les dangers,
renverse tous les obstacles, et qui dans ses fureurs
semble propre à détruire le Genre-humain qu'elle est
destinée à conserver. Que deviendront les hommes en
proye à cette rage effrenée et brutale, sans pudeur, sans
retenue, et se disputant chaque jour leurs amours au
prix de leur sang?

Il faut convenir d'abord que plus les passions sont
violentes, plus les Loix sont nécessaires pour les contenir : mais outre que les désordres, et les crimes que cel-
les-ci causent tous les jours parmi nous, montrent assés
l'insuffisance des Loix à cet égard, il seroit encore bon
d'examiner si ces désordres ne sont point nés avec les
Loix mêmes ; car alors, quand elles seroient capables
de les réprimer, ce seroit bien le moins qu'on en dût
exiger que d'arrêter un mal qui n'éxisteroit point sans
elles.

Commençons par distinguer le moral du Physique
dans le sentiment de l'amour. Le Physique est ce désir

général qui porte un séxe à s'unir à l'autre ; Le moral
est ce qui détermine ce désir et le fixe sur un seul objet
exclusivement, ou qui du moins lui donne pour cet
objet préféré un plus grand dégré d'énergie. Or il est
facile de voir que le moral de l'amour est un sentiment
factice ; né de l'usage de la société, et célébré par les
femmes avec beaucoup d'habilété et de soin pour établir
leur empire, et rendre dominant le séxe qui devroit obéir.
Ce sentiment étant fondé sur certaines notions du merite
ou de la beauté qu'un Sauvage n'est point en état d'avoir
et sur des comparaisons qu'il n'est point en état de
faire, doit être presque nul pour lui : Car comme son
esprit n'a pu se former des idées abstraites de régularité
et de proportion, son cœur n'est point non plus susceptible des sentimens d'admiration, et d'amour, qui,
même sans qu'on s'en aperçoive, naissent de l'application de ces idées ; il écoute uniquement le temperament
qu'il a reçu de la Nature, et non le goût * qu'il n'a pu
acquerir, et toute femme est bonne pour lui.

Bornés au seul Physique de l'amour, et assés heureux
pour ignorer ces préférences qui en irritent le sentiment
et en augmentent les difficultés, les hommes doivent
sentir moins fréquemment et moins vivement les ardeurs
du temperament et par consequent avoir entre eux des
disputes plus rares, et moins cruelles. L'imagination qui
fait tant de ravages parmi nous, ne parle point à des
cœurs Sauvages ; chacun attend paisiblement l'impulsion de la Nature, s'y livre sans choix avec plus de plaisir que de fureur, et le besoin satisfait, tout le désir est
éteint.

* le dégoût. (Ed. 1782.)

C'est donc une chose incontestable que l'amour même,
ainsi que toutes les autres passions, n'a acquis que dans
la société cette ardeur impétueuse qui le rend si souvent
funeste aux hommes, et il est d'autant plus ridicule de
représenter les Sauvages comme s'entr'égorgeant sans
cesse pour assouvir leur brutalité, que cette opinion est
directement contraire à l'expérience, et que les Caraïbes,
celui de tous les Peuples existans, qui jusqu'ici s'est
écarté le moins de l'état de Nature, sont précisément les
plus paisibles dans leurs amours, et les moins sujets à
la jalousie, quoique vivant sous un Climat brulant qui
semble toujours donner à ces passions une plus grande
activité.

A l'égard des inductions qu'on pourroit tirer dans
plusieurs espéces d'animaux, des combats des Mâles
qui ensanglantent en tout tems nos basses cours ou qui
font retentir au Printems nos forêts de leurs cris en se
disputant la femelle, il faut commencer par exclure
toutes les espéces où la Nature a manifestement établi
dans la puissance relative des Séxes d'autres raports
que parmi nous : Ainsi les combats des Cocqs ne forment
point une induction pour l'espéce humaine. Dans les
espéces, où la Proportion est mieux observée, ces combats ne peuvent avoir pour causes que la rareté des
femelles eu égard du nombre des Mâles, ou les inter-
valles exclusifs durant lesquels la femelle refuse constamment l'approche du mâle, ce qui revient à la premiere
cause ; car si chaque femelle ne souffre le mâle que durant deux mois de l'année, c'est à cet égard comme si le
nombre des femelles étoit moindre des cinq sixiémes :
Or aucun de ces deux cas n'est applicable à l'espéce
humaine où le nombre des femelles surpasse générale-

ment celui des mâles, et où l'on n'a jamais observé que
même parmi les Sauvages les femelles ayent, comme
celles des autres espéces, des tems de chaleur et d'exclu-
sion. De plus parmi plusieurs de ces animaux, toute
l'espéce entrant à la fois en effervescence, il vient un
moment terrible d'ardeur commune, de tumulte, de
desordre, et de combat : moment qui n'a point lieu
parmi l'espéce humaine où l'amour n'est jamais pério-
dique. On ne peut donc pas conclure des combats de
certains animaux pour la possession des femelles que la
même chose arriveroit à l'homme dans l'état de Nature ;
et quand même on pourroit tirer cette conclusion,
comme ces dissentions ne détruisent point les autres
espéces, on doit penser au moins qu'elles ne seroient
pas plus funestes à la nôtre, et il est très apparent
qu'elles y causeroient encore moins de ravage qu'elles
ne font dans la Société, surtout dans les Pays où les
Mœurs étant encore comptées pour quelque chose, la
jalousie des Amans et la vengeance des Époux causent
chaque jour des Duels, des Meurtres, et pis encore ; où
le devoir d'une éternelle fidelité ne sert qu'à faire des
adultéres, et où les Loix même de la continence et de
l'honneur étendent nécessairement la débauche, et
multiplient les avortemens.

Concluons qu'errant dans les forêts sans industrie,
sans parole, sans domicile, sans guerre, et sans liaisons,
sans nul besoin de ses semblables, comme sans nul
désir de leur nuire, peut-être même sans jamais en reconnoître aucun individuellement, l'homme Sauvage sujet
à peu de passions, et se suffisant à lui même, n'avoit
que les sentimens et les lumiéres propres à cet état, qu'il
ne sentoit que ses vrais besoins, ne regardoit que ce

qu'il croyoit avoir intérêt de voir, et que son intelligence
ne faisoit pas plus de progrès que sa vanité. Si par hazard
il faisoit quelque découverte, il pouvoit d'autant moins
la communiquer qu'il ne reconnoissoit pas même ses
Enfans. L'art périssoit avec l'inventeur ; Il n'y avoit ni
éducation ni progrès, les générations se multiplioient
inutilement ; et chacune partant toujours du même
point, les Siécles s'écouloient dans toute la grossiéreté
des premiers âges, l'espéce étoit déjà vieille, et l'homme
restoit toujours enfant.

Si je me suis étendu si longtems sur la supposition
de cette condition primitive, c'est qu'ayant d'anciennes
erreurs et des préjugés invétérés à détruire, j'ai cru
devoir creuser jusqu'à la racine, et montrer dans le
tableau du veritable état de Nature combien l'inégalité,
même naturelle, est loin d'avoir dans cet état autant de
réalité et d'influence que le prétendent nos Écrivains.

En effet, il est aisé de voir qu'entre les différences
qui distinguent les hommes, plusieurs passent pour
naturelles qui sont uniquement l'ouvrage de l'habitude
et des divers genres de vie que les hommes adoptent
dans la Société. Ainsi un tempérament robuste ou déli-
cat, la force ou la foiblesse qui en dépendent, viennent
souvent plus de la maniére dure ou efféminée dont on a
été élevé que de la constitution primitive des corps.
Il en est de même des forces de l'Esprit, et non seulement
l'éducation met de la différence entre les Esprits cultivés, et ceux qui ne le sont pas, mais elle augmente celle
qui se trouve entre les premiers à proportion de la culture ; car qu'un Geant, et un Nain marchent sur la même
route, chaque pas qu'ils feront l'un et l'autre donnera un
nouvel avantage au Géant. Or si l'on compare la diver-

sité prodigieuse d'éducations et de genres de vie qui
régne dans les differens ordres de l'état civil, avec la
simplicité et l'uniformité de la vie animale et sauvage,
où tous se nourrissent des mêmes alimens, vivent
de la même maniére, et font exactement les mêmes
choses, on comprendra combien la différence d'homme
à homme doit être moindre dans l'état de Nature que
dans celui de société, et combien l'inégalité naturelle
doit augmenter dans l'espéce humaine par l'inégalité
d'institution.

Mais quand la Nature affecteroit dans la distribution
de ses dons autant de préférences qu'on le prétend, quel
avantage les plus favorisés en tireroient ils, au préjudice
des autres, dans un état de choses qui n'admettroit
presqu'aucune sorte de relation entre eux ? Là où il n'y
a point d'amour, de quoi servira la beauté ? Que sera
l'esprit à des gens qui ne parlent point, et la ruse à ceux
qui n'ont point d'affaires ? J'entends toujours répéter
que les plus forts opprimeront les foibles ; mais qu'on
m'explique ce qu'on veut dire par ce mot d'oppression.
Les uns domineront avec violence, les autres gémiront
asservis à tous leurs caprices : voilà précisément ce que
j'observe parmi nous, mais je ne vois pas comment
cela pourroit se dire des hommes Sauvages, à qui l'on
auroit même bien de la peine à faire entendre ce que
c'est que servitude, et domination. Un homme pourra
bien s'emparer des fruits qu'un autre a cüeillis, du gibier
qu'il a tué, de l'antre qui lui servoit d'azile ; mais comment viendra-t-il jamais à bout de s'en faire obéir, et
quelles pourront être les chaînes de la dépendance parmi
des hommes qui ne possédent rien ? Si l'on me chasse
d'un arbre, j'en suis quitte pour aller à un autre ; Si

l'on me tourmente dans un lieu, qui m'empêchera de
passer ailleurs? Se trouve-t-il un homme d'une force
assés supérieure à la mienne, et, de plus, assés dépravé,
assés paresseux, et assez féroce pour me contraindre à
pourvoir à sa subsistance pendant qu'il demeure oisif?
Il faut qu'il se résolve à ne pas me perdre de veüe un
seul instant, à me tenir lié avec un très grand soin durant son sommeil, de peur que je ne m'échappe ou que je
ne le tüe : c'est-à-dire qu'il est obligé de s'exposer volontairement à une peine beaucoup plus grande que celle
qu'il veut éviter, et que celle qu'il me donne à moi-
même. Après tout cela, sa vigilance se relache-t-elle un
moment? Un bruit imprevu lui fait il détourner la tête?
Je fais vingt pas dans la forêt, mes fers sont brisés, et
il ne me revoit de sa vie.

Sans prolonger inutilement ces détails, chacun doit
voir que les liens de la servitude n'étant formés que de
la dépendance mutuelle des hommes et des besoins
reciproques qui les unissent, il est impossible d'asservir
un homme sans l'avoir mis auparavant dans le cas de
ne pouvoir se passer d'un autre ; situation qui n'exis-
tant que dans l'état de Nature, y laisse chacun libre du
joug et rend vaine la Loi du plus fort.

Après avoir prouvé que l'Inégalité est à peine sensible
dans l'état de Nature, et que son influence y est presque
nulle, il me reste à montrer son origine, et ses progrès
dans les développemens successifs de l'Esprit humain.
Après avoir montré que la *perfectibilité*, les vertus
sociales, et les autres facultés que l'homme Naturel avoit
reçues en puissance, ne pouvoient jamais se developper
d'elles mêmes, qu'elle avoient besoin pour cela du
concours fortuit de plusieurs causes étrangeres qui pou-

voient ne jamais naître et sans lesquelles il fût demeuré
éternellement dans sa constitution primitive ; il me reste
à considerer et à rapprocher les différens hazards qui ont
pu perfectionner la raison humaine, en déteriorant l'espéce, rendre un être méchant en le rendant sociable, et
d'un terme si éloigné amener enfin l'homme et le monde
au point où nous les voyons.

J'avoue que les évenemens que j'ai à décrire ayant
pu arriver de plusieurs maniéres, je ne puis me déterminer sur le choix que par des conjectures ; mais outre
que ces conjectures deviennent des raisons, quand elles
sont les plus probables qu'on puisse tirer de la nature
des choses et les seuls moyens qu'on puisse avoir de
découvrir la verité, les consequences que je veux déduire
des miennes ne seront point pour cela conjecturales,
puisque, sur les principes que je viens d'établir, on ne
sauroit former aucun autre système qui ne me fournisse
les mêmes résultats, et dont je ne puisse tirer les mêmes
conclusions.

Ceci me dispensera d'étendre mes réflexions sur la
maniére dont le laps de tems compense le peu de vraisemblance des évenemens ; sur la puissance surprenante
des causes très-légeres lorsqu'elles agissent sans relâche ;
sur l'impossibilité où l'on est d'un côté de détruire certaines hypothéses, si de l'autre on se trouve hors d'état
de leur donner le dégré de certitude des faits ; sur ce que
deux faits étant donnés comme réels à lier par une suite
de faits intermédiaires, inconnus ou regardés comme tels,
c'est à l'histoire, quand on l'a, de donner les faits qui les
lient ; c'est à la Philosophie à son défaut, de determiner
les faits semblables qui peuvent les lier ; Enfin sur ce
qu'en matiére d'évenemens la similitude reduit les

faits à un beaucoup plus petit nombre de classes différentes qu'on ne se l'imagine. Il me suffit d'offrir ces
objets à la considération de mes Juges : il me suffit d'avoir
fait en sorte que les Lecteurs vulgaires n'eussent pas
besoin de les considérer.

SECONDE PARTIE

Le premier qui ayant enclos un terrain, s'avisa de dire, *ceci est à moi*, et trouva des gens assés simples pour le croire, fut le vrai fondateur de la société civile. Que de crimes, de guerres, de meurtres, que de miséres et d'horreurs, n'eût point épargnés au Genre-humain celui qui arrachant les pieux ou comblant le fossé, eût crié à ses semblables. Gardez-vous d'écouter cet imposteur ; Vous êtes perdus, si vous oubliez que les fruits sont à tous, et que la Terre n'est à personne : Mais il y a grande apparence, qu'alors les choses en étoient déjà venües au point de ne pouvoir plus durer comme elles étoient ; car cette idée de propriété, dependant de beaucoup d'idées antérieures qui n'ont pû naître que succesivement, ne se forma pas tout d'un coup dans l'esprit humain : Il falut faire bien des progrès, acquerir bien de l'industrie et des lumières, les transmettre et les augmenter d'âge en âge, avant que d'arriver à ce dernier terme de l'état de Nature. Reprenons donc les choses de plus haut et tâchons de rassembler sous un seul point de vue cette lente succession d'évenemens et de connoissances, dans leur ordre le plus naturel.

Le premier sentiment de l'homme fut celui de son existence, son premier soin celui de sa conservation. Les productions de la Terre lui fournissoient tous les secours nécessaires, l'instinct le porta à en faire usage. La faim, d'autres appetits lui faisant éprouver tour à tour diverses maniéres d'exister, il y en eut une qui l'invita à perpetuer son espéce ; et ce penchant aveugle, dépourvû de tout sentiment du cœur, ne produisoit qu'un acte purement animal. Le besoin satisfait, les deux sexes ne se reconnoissoient plus, et l'enfant même n'étoit plus rien à la Mére sitôt qu'il pouvoit se passer d'elle.

Telle fut la condition de l'homme naissant ; telle fut la vie d'un animal borné d'abord aux pures sensations, et profitant à peine des dons que lui offroit la Nature, loin de songer à lui rien arracher ; mais il se présenta bientôt des difficultés ; il falut apprendre à les vaincre : la hauteur des Arbres, qui l'empêchoit d'atteindre à leurs fruits, la concurrence des animaux qui cherchoient à s'en nourrir, la férocité de ceux qui en vouloient à sa propre vie, tout l'obligea de s'appliquer aux exercices du corps ; il falut se rendre agile, vîte à la course, vigoureux au combat. Les armes naturelles qui sont les branches d'arbres, et les pierres, se trouvérent bientôt sous sa main. Il apprit à surmonter les obstacles de la Nature, à combattre au besoin les autres animaux, à disputer sa subsistance aux hommes mêmes, ou à se dédommager de ce qu'il faloit céder au plus fort.

A mesure que le Genre-humain s'étendit, les peines se multipliérent avec les hommes. La différence des terrains, des Climats, des saisons, put les forcer à en mettre dans leurs maniéres de vivre. Des années stériles, des hyvers longs et rudes, des Étés brulans qui consument

tout, exigérent d'eux une nouvelle industrie. Le long
de la mer, et des Riviéres ils inventérent la ligne, et le
hameçon ; et devinrent pêcheurs et Ichtyophages. Dans
les forêts ils se firent des arcs et des fléches, et devinrent
Chasseurs et Guerriers ; Dans les Pays froids ils se couvrirent des peaux des bêtes qu'ils avoient tuées ; Le
tonnerre, un Volcan, ou quelque heureux hazard leur
fit connoître le feu, nouvelle ressource contre la rigueur
de l'hyver : Ils apprirent à conserver cet élément, puis
à le reproduire, et enfin à en préparer les viandes qu'auparavant ils dévoroient crues.

Cette application réiterée des êtres divers à lui-même,
et les uns aux autres, dut naturellement engendrer dans
l'esprit de l'homme les perceptions de certains raports.
Ces relations que nous exprimons par les mots de grand,
de petit, de fort, de foible, de vîte, de lent, de peureux,
de hardi, et d'autres idées pareilles, comparées au besoin,
et presque sans y songer, produisirent enfin chez lui
quelque sorte de réflexion, ou plûtôt une prudence
machinale qui lui indiquoit les précautions les plus
nécessaires à sa sûreté.

Les nouvelles lumieres qui résultérent de ce développement, augmentérent sa supériorité sur les autres animaux, en la lui faisant connoître. Il s'exerça à leur dres-
ser des piéges, il leur donna le change en mille maniéres,
et quoique plusieurs le surpassassent en force au combat,
ou en vîtesse à la course ; de ceux qui pouvoient lui
servir ou lui nuire, il devint avec le tems le maître des
uns, et le fleau des autres. C'est ainsi que le premier
regard qu'il porta sur lui-même, y produisit le premier
mouvement d'orgueil ; c'est ainsi que sachant encore à
peine distinguer les rangs, et se contemplant au premier

par son espéce, il se préparoit de loin à y prétendre par son individu.

Quoique ses semblables ne fussent pas pour lui ce qu'ils sont pour nous, et qu'il n'eût gueres plus de commerce avec eux qu'avec les autres animaux, ils ne furent pas oubliés dans ses observations. Les conformités que le temps put lui faire appercevoir entre eux, sa femelle et lui-même, le firent juger de celles qu'il n'appercevoit pas, et voyant qu'ils se conduisoient tous, comme il auroit fait en de pareilles circonstances, il conclut que leur maniére de penser et de sentir étoit entiérement conforme à la sienne, et cette importante vérité, bien établie dans son esprit, lui fit suivre, par un pressentiment aussi sûr et plus promt que la Dialectique, les meilleures régles de conduite que pour son avantage et sa sureté il lui convînt de garder avec eux.

Instruit par l'expérience que l'amour du bien-être est le seul mobile des actions humaines, il se trouva en état de distinguer les occasions rares où l'intérêt commun devoit le faire compter sur l'assistance de ses semblables, et celles plus rares où la concurrence devoit le faire défier d'eux. Dans le premier cas il s'unissoit avec eux en troupeau, ou tout au plus par quelque sorte d'association libre qui n'obligeoit personne, et qui ne duroit qu'autant que le besoin passager qui l'avoit formée. Dans le second chacun cherchoit à prendre ses avantages, soit à force ouverte, s'il croyoit le pouvoir ; soit par adresse et subtilité, s'il se sentoit le plus foible.

Voilà comment les hommes purent insensiblement acquerir quelque idée grossiére des engagements mutuels, et de l'avantage de les remplir, mais seulement autant que pouvoit l'exiger l'intérêt présent et sensible ;

car la prévoyance n'étoit rien pour eux, et loin de s'occuper d'un avenir éloigné, ils ne songeoient pas même au
lendemain. S'agissoit il de prendre un Cerf, chacun sentoit bien qu'il devoit pour cela garder fidellement son
poste ; mais si un liévre venoit à passer à la portée de
l'un d'eux, il ne faut pas douter qu'il ne le poursuivît
sans scrupule, et qu'ayant atteint sa proye il ne se sou-
ciât fort peu de faire manquer la leur à ses Compagnons.

Il est aisé de comprendre qu'un pareil commerce n'éxigeoit pas un langage beaucoup plus rafiné que celui des
Corneilles ou des Singes, qui s'attroupent à peu près
de même. Des cris inarticulés, beaucoup de gestes, et
quelques bruits imitatifs, durent composer pendant
longtems la Langue universelle, à quoi joignant dans
chaque Contrée quelques sons articulés, et conventionnels dont, comme je l'ai déjà dit, il n'est pas trop facile
d'expliquer l'institution, on eut des langues particuliéres, mais grossiéres, imparfaites, et telles à peu près
qu'en ont aujourd'hui diverses Nations Sauvages. Je
parcours comme un trait des multitudes de Siécles,
forcé par le tems qui s'écoule, par l'abondance des choses
que j'ai à dire, et par le progrès presque insensible des
commencements ; car plus les événemens étoient lents
à se succeder, plus ils sont prompts à décrire.

Ces premiers progrès mirent enfin l'homme à portée
d'en faire de plus rapides. Plus l'esprit s'éclairoit, et
plus l'industrie se perfectionna. Bientôt cessant de s'en-
dormir sous le premier arbre, ou de se retirer dans des
Cavernes, on trouva quelques sortes de haches de pierres
dures, et tranchantes, qui servirent à couper du bois,
creuser la terre, et faire des huttes de branchages, qu'on

s'avisa ensuite d'enduire d'argile et de boüe. Ce fut-là
l'époque d'une premiére révolution qui forma l'établissement et la distinction des familles, et qui introduisit
une sorte de propriété ; d'où peut-être naquirent déjà
bien des querelles et des Combats. Cependant comme
les plus forts furent vraisemblablement les premiers à
se faire des logemens qu'ils se sentoient capables de défendre, il est à croire que les foibles trouvèrent plus
court et plus sûr de les imiter que de tenter de les délo-
ger : et quant à ceux qui avoient déjà des Cabanes,
chacun dut peu chercher à s'approprier celle de son voisin, moins parce qu'elle ne lui appartenoit pas, que parce
qu'elle lui étoit inutile, et qu'il ne pouvoit s'en emparer,
sans s'exposer à un combat très vif avec la famille qui
l'occupoit.

Les premiers développemens du cœur furent l'effet
d'une situation nouvelle qui réünissoit dans une habitation commune les maris et les Femmes, les Peres et les
Enfans ; l'habitude de vivre ensemble fit naître les plus
doux sentimens qui soient connus des hommes, l'amour
conjugal, et l'amour Paternel. Chaque famille devint
une petite Société d'autant mieux unie que l'attache-
ment réciproque et la liberté en étoient les seuls liens ;
et ce fut alors que s'établit la première différence dans
la maniére de vivre des deux Séxes, qui jusqu'ici n'en
avoient eu qu'une. Les femmes devinrent plus seden-
taires et s'accoutumérent à garder la Cabane et les Enfans, tandis que l'homme alloit chercher la subsistance
commune. Les deux Séxes commencérent aussi par une
vie un peu plus molle à perdre quelque chose de leur
férocité et de leur vigueur : mais si chacun séparément
devint moins propre à combattre les bêtes sauvages, en

revanche il fut plus aisé de s'assembler pour leur
résister en commun.

Dans ce nouvel état, avec une vie simple et solitaire,
des besoins très bornés, et les instruments qu'ils avoient
inventés pour y pourvoir, les hommes joüissant d'un fort
grand loisir l'emploiérent à se procurer plusieurs sortes
de commodités inconnues à leurs Peres ; et ce fut là le
premier joug qu'ils s'imposérent sans y songer, et la premiére source de maux qu'ils préparérent à leurs Descendans ; car outre qu'ils continuérent ainsi à s'amolir
le corps et l'esprit, ces commodités ayant par l'habitude
perdu presque tout leur agrément, et étant en même
tems dégénérées en de vrais besoins, la privation en
devint beaucoup plus cruelle que la possession n'en étoit
douce, et l'on étoit malheureux de les perdre, sans être
heureux de les posseder.

On entrevoit un peu mieux ici comment l'usage de la
parole s'établit ou se perfectionna insensiblement dans
le sein de chaque famille, et l'on peut conjecturer encore
comment diverses causes particuliéres purent étendre le
langage, et en accélerer le progrès en le rendant plus
nécessaire. De grandes inondations ou des tremblemens
de terre environnérent d'eaux ou de précipices des Can-
tons habités ; Des revolutions du Globe détachérent et
coupèrent en Iles des portions du Continent. On conçoit
qu'entre des hommes ainsi rapprochés, et forcés de vivre
ensemble, il dut se former un Idiome commun plûtôt
qu'entre ceux qui erroient librement dans les forêts de
la Terre ferme. Ainsi il est très possible qu'après leurs
premiers essais de Navigation, des Insulaires aient porté
parmi nous l'usage de la parole ; et il est au moins très
vraisemblable que la Société et les langues ont pris

naissance dans les Iles, et s'y sont perfectionnées avant
que d'être connües dans le Continent.

Tout commence à changer de face. Les hommes errans
jusqu'ici dans les Bois, ayant pris une assiéte plus fixe
se rapprochent lentement, se réunissent en diverses
troupes, et forment enfin dans chaque contrée une Nation particuliére, unie de mœurs et de caractéres, non
par des Réglemens et des Loix, mais par le même genre
de vie et d'alimens, et par l'influence commune du Climat. Un voisinage permanent ne peut manquer d'engendrer enfin quelque liaison entre diverses familles.
De jeunes gens de différens séxes habitent des Cabanes
voisines, le commerce passager que demande la Nature
en améne bientôt un autre, non moins doux et plus permanent par la fréquentation mutuelle. On s'accoûtume
à considérer différens objets, et à faire des comparaisons ;
on acquiert insensiblement des idées de mérite et de
beauté qui produisent des sentimens de préférence. A
force de se voir, on ne peut plus se passer de se voir encore. Un sentiment tendre et doux s'insinue dans l'âme,
et par la moindre opposition devient une fureur impétueuse : la jalousie s'éveille avec l'amour ; la Discorde
triomphe, et la plus douce des passions reçoit des sacri-
fices de sang humain.

A mesure que les idées et les sentimens se succédent,
que l'esprit et le cœur s'éxercent, le Genre-humain
continue à s'apprivoiser, les liaisons s'étendent et les liens
se resserrent. On s'accoûtuma à s'assembler devant les
Cabanes ou autour d'un grand Arbre : le chant et la
danse, vrais enfans de l'amour et du loisir, devinrent
l'amusement ou plûtôt l'occupation des hommes et des
femmes oisifs et attroupés. Chacun commença à regar-

der les autres et à vouloir être regardé soi-même, et l'estime publique eut un prix. Celui qui chantoit ou dansoit le mieux ; le plus beau, le plus fort, le plus adroit ou le plus éloquent devint le plus consideré, et ce fut là le premier pas vers l'inégalité, et vers le vice en même tems : de ces premiéres préférences nâquirent d'un côté la vanité et le mépris, de l'autre la honte et l'envie ; et la fermentation causée par ces nouveaux levains produisit enfin des composés funestes au bonheur et à l'innocence.

Sitôt que les hommes eurent commencé à s'apprecier mutuellement et que l'idée de la considération fut formée dans leur esprit, chacun prétendit y avoir droit ; et il ne fut plus possible d'en manquer impunément pour personne. De là sortirent les premiers devoirs de la civilité, même parmi les Sauvages, et delà tout tort volontaire devint un outrage, parce qu'avec le mal qui résultoit de l'injure, l'offensé y voyoit le mépris de sa personne souvent plus insuportable que le mal même. C'est ainsi que chacun punissant le mépris qu'on lui avoit témoigné d'une manière proportionnée au cas qu'il faisoit de lui-même, les vengeances devinrent terribles, et les hommes sanguinaires et cruels. Voila précisement le degré où étoient parvenus la plûpart des Peuples Sauvages qui nous sont connus ; et c'est faute d'avoir suffisamment distingué les idées, et remarqué combien ces Peuples étoient déjà loin du premier état de Nature que plusieurs se sont hâtés de conclure que l'homme est naturellement cruel et qu'il a besoin de police pour l'adoucir, tandis que rien n'est si doux que lui dans son état primitif, lorsque placé par la nature à des distances égales de la stupidité des brutes et des lumiéres funestes de l'homme civil, et

borné également par l'instinct et par la raison à se garantir du mal qui le menace, il est retenu par la pitié
Naturelle de faire lui-même du mal à personne, sans y
être porté par rien, même après en avoir reçu. Car, selon
l'axiome du sage Locke, *il ne sauroit y avoir d'injure, où
il n'y a point de propriété.*

Mais il faut remarquer que la Société commencée et
les relations déjà établies entre les hommes, éxigeoient
en eux des qualités différentes de celle qu'ils tenoient de
leur constitution primitive ; que la moralité commençant
à s'introduire dans les Actions humaines, et chacun
avant les Loix étant seul juge et vengeur des offenses
qu'il avoit reçues, la bonté convenable au pur état de
Nature n'étoit plus celle qui convenoit à la Société naissante ; qu'il faloit que les punitions devinssent plus
sévéres à mesure que les occasions d'offenser devenoient
plus fréquentes, et que c'étoit à la terreur des vengeances
de tenir lieu du frein des Loix. Ainsi quoique les hommes
fussent devenus moins endurans, et que la pitié naturelle
eût déjà souffert quelque altération, ce période du développement des facultés humaines, tenant un juste
milieu entre l'indolence de l'état primitif et la pétulante
activité de notre amour propre, dut être l'époque la plus
heureuse, et la plus durable. Plus on y réflechit, plus on
trouve que cet état étoit le moins sujet aux révolutions,
le meilleur à l'homme [16], et qu'il n'en a du sortir que par
quelque funeste hasard qui pour l'utilité commune eût
dû ne jamais arriver. L'exemple des Sauvages qu'on a
presque tous trouvés à ce point semble confirmer que
le Genre-humain étoit fait pour y rester toujours, que
cet état est la véritable jeunesse du monde, et que tous
les progrès ulterieurs ont été en apparence autant de

pas vers la perfection de l'individu, et en effet vers la
décrépitude de l'espéce.

Tant que les hommes se contentérent de leurs cabanes
rustiques, tant qu'ils se bornèrent à coudre leurs habits
de peaux avec des épines ou des arrêtes, à se parer de
plumes et de coquillages, à se peindre le corps de diverses
couleurs, à perfectionner ou embellir leurs arcs et leurs
fleches, à tailler avec des pierres tranchantes quelques
Canots de pêcheurs ou quelques grossiers instruments de
Musique ; En un mot tant qu'ils ne s'appliquérent qu'à
des ouvrages qu'un seul pouvoit faire, et qu'à des arts
qui n'avoient pas besoin du concours de plusieurs mains,
ils vécurent libres, sains, bons, et heureux autant qu'ils
pouvoient l'être par leur Nature, et continuérent à
joüir entre eux des douceurs d'un commerce independant : mais dès l'instant qu'un homme eut besoin du
secours d'un autre ; dès qu'on s'apperçut qu'il étoit utile
à un seul d'avoir des provisions pour deux, l'égalité disparut, la propriété s'introduisit, le travail dévint nécessaire, et les vastes forêts se changérent en des Campagnes
riantes qu'il falut arroser de la sueur des hommes, et
dans lesquelles on vit bientôt l'esclavage et la misére
germer et croître avec les moissons.

La Métallurgie et l'agriculture furent les deux arts
dont l'invention produisit cette grande révolution. Pour
le Poëte, c'est l'or et l'argent, mais pour le Philosophe
ce sont le fer et le bled qui ont civilisé les hommes, et
perdu le Genre-humain ; aussi l'un et l'autre étoient-ils
inconnus aux Sauvages de l'Amérique qui pour cela
sont toujours demeurés tels ; les autres Peuples semblent
même être restés Barbares tant qu'ils ont pratiqué l'un
de ces Arts sans l'autre ; et l'une des meilleures raisons

4

peut-être pourquoi l'Europe a été, sinon plûtôt, du moins plus constamment, et mieux policée que les autres parties du monde, c'est qu'elle est à la fois la plus abondante en fer et la plus fertile en bled.

Il est très difficile de conjecturer comment les hommes sont parvenus à connoître et employer le fer : car il n'est pas croyable qu'ils ayent imaginé d'eux mêmes de tirer la matière de la mine et de lui donner les préparations nécessaires pour la mettre en fusion avant que de savoir ce qui en résulteroit. D'un autre côté on peut d'autant moins attribuer cette découverte à quelque incendie accidentel que les mines ne se forment que dans des lieux arides, et dénués d'arbres et de plantes, de sorte qu'on diroit que la Nature avoit pris des précautions pour nous dérober ce fatal secret. Il ne reste donc que la circonstance extraordinaire de quelque Volcan qui, vomissant des matiéres métalliques en fusion, aura donné aux Observateurs l'idée d'imiter cette opération de la Nature ; encore faut-il leur supposer bien du courage et de la prévoyance pour entreprendre un travail aussi pénible et envisager d'aussi loin les avantages qu'ils en pouvoient retirer ; ce qui ne convient guéres qu'à des esprits déjà plus exercés que ceux-ci ne le devoient être.

Quant à l'agriculture, le principe en fut connu longtems avant que la pratique en fût établie, et il n'est guéres possible que les hommes sans cesse occupés à tirer leur subsistance des arbres et des plantes n'eussent assés promptement l'idée des voyes, que la Nature employe pour la génération des Végétaux ; mais leur industrie ne se tourna probablement que fort tard de ce côté-là, soit parce que les arbres qui avec la chasse et la pêche fournissoient à leur nourriture, n'avoient pas besoin de leurs soins, soit faute de connoître l'usage du bled, soit faute d'instrumens pour le cultiver, soit faute de prévoyance pour le besoin à venir, soit enfin faute de moyens pour empêcher les autres de s'approprier le fruit de leur travail. Devenus plus industrieux, on peut croire qu'avec des pierres aiguës, et des bâtons pointus ils commencérent par cultiver quelques legumes ou racines autour de leurs Cabanes, longtemps avant de savoir préparer le bled, et d'avoir les instruments nécessaires pour la culture en grand, sans compter que, pour se livrer à cette occupation et ensemencer des terres, il faut se résoudre à perdre d'abord quelque chose pour gagner beaucoup dans la suite ; précaution fort éloignée du tour d'esprit de l'homme Sauvage qui, comme je l'ai dit, a bien de la peine à songer le matin à ses besoins du soir.

L'invention des autres arts fut donc nécessaire pour forcer le Genre-humain de s'appliquer à celui de l'agriculture. Dès qu'il fallut des hommes pour fondre et forger le fer, il fallut d'autres hommes pour nourrir ceux-là. Plus le nombre des ouvriers vint à se multiplier, moins il y eut de mains employées à fournir à la subsistance commune, sans qu'il y eût moins de bouches pour la consommer ; et comme il fallut aux uns des denrées en échange de leur fer, les autres trouvèrent enfin le secret d'employer le fer à la multiplication des denrées. De là naquîrent d'un côté le Labourage et l'agriculture, et de l'autre l'art de travailler les métaux, et d'en multiplier les usages.

De la culture des terres s'ensuivit nécessairement leur partage ; et de la propriété une fois reconnüe les

premiéres régles de justice : car pour rendre à chacun
le sien, il faut que chacun puisse avoir quelque chose;
de plus les hommes commençant à porter leurs veües
dans l'avenir, et se voyant tous quelques biens à perdre,
il n'y en avoit aucun qui n'eût à craindre pour soi la re-
présaille des torts qu'il pouvait faire à autrui. Cette origine est d'autant plus naturelle qu'il est impossible de
concevoir l'idée de la propriété naissante d'ailleurs que
de la main d'œuvre ; car on ne voit pas ce que, pour s'approprier les choses qu'il n'a point faites, l'homme y peut
mettre de plus que son travail. C'est le seul travail qui
donnant droit au Cultivateur sur le produit de la terre
qu'il a labourée, lui en donne par conséquent sur le fond,
au moins jusqu'à la recolte, et ainsi d'année en année,
ce qui faisant une possession continüe, se transforme,
aisément en propriété. Lorsque les Anciens, dit Grotius,
ont donné à Cères l'épithéte de legislatrice, et à une fête
célébrée en son honneur, le nom de Thesmophories ; ils
ont fait entendre par-là que le partage des terres, a
produit une nouvelle sorte de droit. C'est-à-dire le droit
de propriété différent de celui qui résulte de la Loi naturelle.

Les choses en cet état eussent pu demeurer égales, si
les talens eussent été égaux, et que, par exemple, l'emploi du fer, et la consommation des denrées eussent
toujours fait une balance exacte ; mais la proportion
que rien ne maintenoit, fut bientôt rompue ; le plus fort
faisoit plus d'ouvrage ; le plus adroit tiroit meilleur
parti du sien ; le plus ingenieux trouvoit des moyens
d'abréger le travail ; le Laboureur avoit plus besoin de
fer, ou le forgeron plus besoin de bled, et en travaillant
également, l'un gagnoit beaucoup tandis que l'au-

tre avoit peine à vivre. C'est ainsi que l'inégalité naturelle se déploye insensiblement avec celle de combinaison et que les différences des hommes, developpées par
celles des circonstances, se rendent plus sensibles, plus
permanentes dans leurs effets, et commencent à influer
dans la même proportion sur le sort des particuliers.

Les choses étant parvenües à ce point, il est facile d'i-
maginer le reste. Je ne m'arrêterai pas à décrire l'invention successive des autres arts, le progrès des langues,
l'épreuve et l'emploi des talens, l'inégalité des fortunes,
l'usage ou l'abus des Richesses, ni tous les détails qui
suivent ceux-ci, et que chacun peut aisément suppléer.
Je me bornerai seulement à jetter un coup d'œil sur le
Genre-humain placé dans ce nouvel ordre de choses.

Voilà donc toutes nos facultés développées, la mémoire
et l'imagination en jeu, l'amour propre intéressé, la raison rendüe active et l'esprit arrivé presqu'au terme de
la perfection, dont il est susceptible. Voilà toutes les
qualités naturelles mises en action, le rang et le sort de
chaque homme établi, non seulement sur la quantité
des biens et le pouvoir de servir ou de nuire, mais sur
l'esprit, la beauté, la force ou l'adresse, sur le mérite ou
les talens, et ces qualités étant les seules qui pouvoient
attirer de la consideration, il falut bientôt les avoir ou
les affecter ; Il falut pour son avantage se montrer autre
que ce qu'on étoit en effet. Etre et paroître devinrent
deux choses tout à fait différentes, et de cette distinction sortirent le faste imposant, la ruse trompeuse, et
tous les vices qui en sont le cortége. D'un autre côté, de
libre et independant qu'étoit auparavant l'homme, le
voilà par une multitude de nouveaux besoins assujéti,
pour ainsi dire, à toute la Nature, et surtout à ses sem-

blables dont il devient l'esclave en un sens, même en
devenant leur maître ; riche, il a besoin de leurs services ; pauvre, il a besoin de leurs secours, et la médio-
crité ne le met point en état de se passer d'eux. Il faut
donc qu'il cherche sans cesse à les intéresser à son sort,
et à leur faire trouver en effet ou en apparence leur profit à travailler pour le sien : ce qui le rend fourbe et ar-
tificieux avec les uns, imperieux et dur avec les autres,
et le met dans la nécessité d'abuser tous ceux dont il a
besoin, quand il ne peut s'en faire craindre, et qu'il ne
trouve pas son intérêt à les servir utilement. Enfin
l'ambition dévorante, l'ardeur d'élever sa fortune relative, moins par un véritable besoin que pour se mettre
au-dessus des autres, inspire à tous les hommes un noir
penchant à se nuire mutuellement, une jalousie secrete
d'autant plus dangereuse que, pour faire son coup plus
en sûreté, elle prend souvent le masque de la bienveillance ; en un mot, concurrence et rivalité d'une part, de
l'autre opposition d'intérêt, et toujours le désir caché de
faire son profit aux depends d'autrui ; Tous ces maux
sont le premier effet de la propriété et le cortége insé-
parable de l'inégalité naissante.

Avant qu'on eût inventé les signes réprésentatifs des
richesses, elles ne pouvoient guéres consister qu'en
terres et en bestiaux, les seuls biens réels que les hommes puissent posséder. Or quand les héritages se furent
accrus en nombre et en étendüe au point de cou-
vrir le sol entier et de se toucher tous, les uns ne purent
plus s'aggrandir qu'aux dépends des autres, et les surnu-
meraires que la foiblesse ou l'indolence avoient empê-
chés d'en acquérir à leur tour, devenus pauvres sans
avoir rien perdu, parce que tout changeant autour

d'eux, eux seuls n'avoient point changé, furent obligés de recevoir ou de ravir leur subsistance de la main des riches, et de là commencérent à naître, selon les divers caractéres des uns et des autres, la domination et la servitude, ou la violence et les rapines. Les riches de leur côté connurent à peine le plaisir de dominer, qu'ils dédaignerent bientôt tous les autres, et se servant de leurs anciens Esclaves pour en soûmettre de nouveaux, ils ne songérent qu'à subjuguer et asservir leurs voisins ; semblables à ces loups affamés qui ayant une fois goûté de la chair humaine rebutent toute autre nourriture, et ne veulent plus que dévorer des hommes.

C'est ainsi que les plus puissans ou les plus misérables, se faisant de leur force ou de leurs besoins une sorte de droit au bien d'autrui, équivalent, selon eux, à celui de propriété, l'égalité rompüe fut suivie du plus affreux désordre : c'est ainsi que les usurpations des riches, les Brigandages des Pauvres, les passions effrénées de tous étouffant la pitié naturelle, et la voix encore foible de la justice, rendirent les hommes avares, ambitieux, et méchans. Il s'élevoit entre le droit du plus fort et le droit du premier occupant un conflict perpetuel qui ne se terminoit que par des combats et des meurtres [17]. La Société naissante fit place au plus horrible état de guerre : Le Genre-humain avili et désolé ne pouvant plus retourner sur ses pas, ni renoncer aux acquisitions malheureuses qu'il avoit faites et ne travaillant qu'à sa honte, par l'abus des facultés qui l'honorent, se mit lui-même à la veille de sa ruine.

Attonitus novitate mali, divesque miserque,
Effugere optat opes, et quæ modo voverat, odit.

Il n'est pas possible que les hommes n'ayent fait enfin des réflexions sur une situation aussi miserable, et sur les calamités dont ils étoient accablés. Les riches surtout durent bientôt sentir combien étoit désavantageuse une guerre perpétuelle dont ils faisoient seuls tous les fraix, et dans laquelle le risque de la vie étoit commun, et celui des biens, particulier. D'ailleurs, quelque couleur qu'ils pussent donner à leurs usurpations, ils sentoient assés qu'elles n'étoient établies que sur un droit précaire et abusif, et que n'ayant été acquises que par la force, la force pouvoit les leur ôter sans qu'ils eussent raison de s'en plaindre. Ceux même, que la seule industrie avoit enrichis, ne pouvoient guéres fonder leur propriété sur de meilleurs titres. Ils avoient beau dire : c'est moi qui ai bâti ce mur ; j'ai gagné ce terrain par mon travail. Qui vous a donné les alignements, leur pouvoit-on répondre ; et en vertu de quoi prétendez-vous être payé à nos dépends d'un travail que nous ne vous avons point imposé? Ignorés vous qu'une multitude de vos freres périt, ou souffre du besoin de ce que vous avés de trop, et qu'il vous faloit un consentement exprés et unanime du Genre-humain pour vous approprier sur la subsistance commune tout ce qui alloit au-delà de la votre? Destitué de raisons valables pour se justifier, et de forces suffisantes pour se défendre ; écrasant facilement un particulier, mais écrasé lui-même par des troupes de bandits ; seul contre tous, et ne pouvant à cause des jalousies mutuelles s'unir avec ses égaux contre des ennemis unis par l'espoir commun du pillage, le riche pressé par la nécessité, conçut enfin le projet le plus réfléchi qui soit jamais entré dans l'esprit humain ; ce fut d'employer en sa faveur les forces même de ceux qui l'attaquoient, de faire ses défenseurs de ses adversaires, de leur inspirer d'autres maximes, et de leur donner d'autres institutions qui lui fussent aussi favorables que le Droit naturel lui étoit contraire.

Dans cette veüe, après avoir exposé à ses voisins l'horreur d'une situation qui les armoit tous les uns contre les autres, qui leur rendoit leurs possessions aussi onéreuses que leurs besoins, et où nul ne trouvoit sa sûreté ni dans la pauvreté ni dans la richesse, il inventa aisément des raisons spécieuses pour les amener à son but. « Unissons-nous », leur dit-il, « pour garantir de » l'oppression les foibles, contenir les ambitieux, et » assûrer à chacun la possession de ce qui lui appartient : » Instituons des réglemens de Justice et de paix aux- » quels tous soient obligés de se conformer, qui ne » fassent acception de personne, et qui réparent en quel- » que sorte les caprices de la fortune en soûmettant » également le puissant et le foible à des devoirs mu- » tuels. En un mot, au lieu de tourner nos forces contre » nous mêmes, rassemblons les en un pouvoir suprême » qui nous gouverne selon de sages Loix, qui protége » et défende tous les membres de l'association, repousse » les ennemis communs, et nous maintienne dan une » concorde éternelle.

Il en falut beaucoup moins que l'équivalent de ce Discours pour entraîner des hommes grossiers, faciles à séduire, qui d'ailleurs avoient trop d'affaires à démê- ler entre eux pour pouvoir se passer d'arbitres, et trop d'avarice et d'ambition, pour pouvoir longtems se passer de Maîtres. Tous coururent au devant de leurs fers croyant assûrer leur liberté ; car avec assés de rai- son pour sentir les avantages d'un établissement politi-

que, ils n'avoient pas assés d'expérience pour en prévoir
les dangers ; les plus capables de pressentir les abus
étoient précisément ceux qui comptoient d'en profiter,
et les sages même virent qu'il faloit se résoudre à sacrifier une partie de leur liberté à la conservation de
l'autre, comme un blessé se fait couper le bras pour sau-
ver le reste du Corps.

Telle fut, ou dut être l'origine de la Société et des
Loix, qui donnérent de nouvelles entraves au foible et
de nouvelles forces au riche [18], détruisirent sans retour
la liberté naturelle, fixérent pour jamais la Loi de la propriété et de l'inégalité, d'une adroite usurpation firent un
droit irrévocable, et pour le profit de quelques ambitieux
assujétirent désormais tout le Genre-humain au travail,
à la servitude et à la misére. On voit aisément comment
l'établissement d'une seule Société rendit indispensable
celui de toutes les autres, et comment, pour faire tête
à des forces unies, il falut s'unir à son tour. Les Sociétés
se multipliant ou s'étendant rapidement couvrirent
bientôt toute la surface de la terre, et il ne fut plus
possible de trouver un seul coin dans l'univers où l'on
pût s'affranchir du joug, et soustraire sa tête au glaîve
souvent mal conduit que chaque homme vit perpetuellement suspendu sur la sienne. Le droit civil étant ainsi
devenu la régle commune des Citoyens, la Loy de Nature
n'eut plus lieu qu'entre les diverses Sociétés, où, sous
le nom de Droit des gens, elle fut temperée par quelques
conventions tacites pour rendre le commerce possible
et suppléer à la commisération naturelle, qui, perdant de
Société à Société presque toute la force qu'elle avoit
d'homme à homme, ne réside plus que dans quelques
grandes Ames Cosmopolites, qui franchissent les bar-

riéres imaginaires qui séparent les Peuples, et qui, à l'exemple de l'être souverain qui les a créés, embrassent tout le Genre-humain dans leur bienveillance.

Les Corps Politiques restant ainsi entr'eux dans l'État de Nature se ressentirent bientôt des inconveniens qui avoient forcé les particuliers d'en sortir, et cet État devint encore plus funeste entre ces grands Corps qu'il ne l'avoit été auparavant entre les individus dont ils étoient composés. De là sortirent les Guerres Nationales, les Batailles, les meurtres, les réprésailles, qui font frémir la Nature et choquent la raison, et tous ces préjugés horribles qui placent au rang des vertus l'honneur de répandre le sang humain. Les plus honnêtes gens apprirent à compter parmi leurs devoirs celui d'égorger leur semblables ; on vit enfin les hommes se massacrer par milliers sans savoir pourquoi ; et il se commettoit plus de meurtres en un seul jour de combat et plus d'horreurs à la prise d'une seule ville, qu'il ne s'en étoit commis dans l'État de Nature durant des siécles entiers sur toute la face de la terre. Tels sont les premiers effets qu'on entrevoit de la division du Genre-humain en différentes Sociétés. Revenons à leur institution.

Je sais que plusieurs ont donné d'autres origines aux Sociétés Politiques, comme les conquêtes du plus puissant ou l'union des foibles ; et le choix entre ces causes est indifférent à ce que je veux établir : cependant celle que je viens d'exposer me paroit la plus naturelle par les raisons suivantes. 1. Que dans le premier cas, le Droit de conquête n'étant point un Droit n'en a pu fonder aucun autre, le Conquérant et les Peuples conquis restant toujours entre eux dans l'état de Guerre, à moins que la Nation remise en pleine liberté ne choisisse volon-

tairement son Vainqueur pour son Chef. Jusques-là,
quelques capitulations qu'on ait faites, comme elles
n'ont été fondées que sur la violence, et que par conséquent elles sont nulles par le fait même, il ne peut y
avoir dans cette hypothéses ni veritable Société, ni
Corps Politique, ni d'autre Loi que celle du plus fort.
2. Que ces mots de *fort* et de *foible* sont équivoques dans
le second cas ; que dans l'intervalle qui se trouve entre
l'établissement du Droit de propriété ou de premier
occupant, et celui des Gouvernemens politiques, le
sens de ces termes est mieux rendu par ceux de *pauvre*
et de *riche*, parcequ'en effet un homme n'avoit point
avant les Loix d'autre moyen d'assujetir ses égaux qu'en
attaquant leur bien, ou leur faisant quelque part du
sien. 3. Que les Pauvres n'ayant rien à perdre que leur
liberté, c'eût été une grande folie à eux de s'ôter volontairement le seul bien qui leur restoit pour ne rien gagner
en échange ; qu'au contraire les riches étant, pour ainsi
dire, sensibles dans toutes les parties de leurs Biens, il
étoit beaucoup plus aisé de leur faire du mal, qu'ils
avoient par conséquent plus de précautions à prendre
pour s'en garantir ; et qu'enfin il est raisonnable de
croire qu'une chose a été inventée par ceux à qui elle
est utile plûtôt que par ceux à qui elle fait du tort.

Le Gouvernement naissant n'eût point une forme
constante et réguliére. Le défaut de Philosophie et
d'expérience ne laissoit appercevoir que les inconvéniens présens, et l'on ne songeoit à remedier aux autres
qu'à mesure qu'ils se présentoient. Malgré tous les
travaux des plus sages Législateurs, l'État Politique
demeura toûjours imparfait, parcequ'il étoit presque
l'ouvrage du hazard, et que mal commencé, le tems en

découvrant les défauts, et suggérant des remèdes, ne put jamais réparer les vices de la Constitution ; On raccommodoit sans cesse, au lieu qu'il eut fallu commencer par nettoyer l'aire et écarter tous les vieux matériaux, comme fit Licurgue à Sparte, pour élever ensuite un bon Edifice. La Société ne consista d'abord qu'en quelques conventions générales que tous les particuliers s'engageoient à observer, et dont la Communauté se rendoit garante envers chacun d'eux. Il fallut que l'expérience montrât combien une pareille constitution étoit foible, et combien il étoit facile aux infracteurs d'éviter la conviction ou le châtiment des fautes dont le Public seul devoit être le témoin et le juge ; il fallut que la Loi fût éludée de mille maniéres ; il fallut que les inconvéniens et les désordres se multipliassent continuellement, pour qu'on songeât enfin à confier à des particuliers le dangereux dépôt de l'autorité publique, et qu'on commît à des Magistrats le soin de faire observer les délibérations du Peuple : car de dire que les Chefs furent choisis avant que la confédération fût faite, et que les Ministres des Loix existérent avant les Loix mêmes, c'est une supposition qu'il n'est pas permis de combattre sérieusement.

Il ne seroit pas plus raisonnable de croire que les Peuples se sont d'abord jettés entre les bras d'un Maître absolu, sans conditions et sans retour, et que le premier moyen de pourvoir à la sûreté commune qu'aient imaginé des hommes fiers et indomptés, a été de se précipiter dans l'esclavage. En effet, pourquoi se sont ils donné des supérieurs, si ce n'est pour les défendre contre l'oppression, et protéger leurs biens, leurs libertés, et leurs vies, qui sont, pour ainsi dire, les élemens constitutifs de leur être ? Or dans les relations d'homme à homme,

le pis qui puisse arriver à l'un étant de se voir à la dis-
crétion de l'autre, n'eût il pas été contre le bon sens de
commencer par se dépoüiller entre les mains d'un Chef
des seules choses pour la conservation desquelles ils
avoient besoin de son secours ? Quel équivalent eût il
pu leur offrir pour la concession d'un si beau Droit ; et,
s'il eût osé l'exiger sous le prétexte de les défendre,
n'eût il pas aussitôt reçû la réponse de l'Apologue ; Que
nous fera de plus l'ennemi ? Il est donc incontestable,
et c'est la maxime fondamentale de tout le Droit Politique, que les Peuples se sont donné des Chefs pour défendre leur liberté et non pour les asservir. *Si nous avons
un prince*, disoit Pline à Trajan, *c'est afin qu'il nous pré-
serve d'avoir un Maître.*

Les politiques font sur l'amour de la liberté les mêmes
sophismes que les Philosophes ont faits sur l'Etat de
Nature ; par les choses qu'ils voyent ils jugent des
choses très différentes qu'ils n'ont pas vues, et ils attri-
buent aux hommes un penchant naturel à la servitude
par la patience avec laquelle ceux qu'ils ont sous les
yeux supportent la leur, sans songer qu'il en est de la
liberté comme de l'innocence et de la vertu, dont on ne
sent le prix qu'autant qu'on en joüit soi-même, et dont
le goût se perd sitôt qu'on les a perdues. Je connois les
délices de ton Païs, disoit Brasidas à un Satrape qui
comparoit la vie de Sparte à celle de Persépolis, mais tu
ne peux connoître les plaisirs du mien.

Comme un Coursier indompté hérisse ses crins, frappe
la terre du pied et se débat impétueusement à la seule
approche du mords, tandis qu'un cheval dressé souffre
patiemment la verge et l'éperon, l'homme barbare ne
plie point sa tête au joug que l'homme civilisé porte sans

murmure, et il préfere la plus orageuse liberté à un assu-
jettissement tranquille. Ce n'est donc pas par l'avilis-
sement des Peuples asservis qu'il faut juger des disposi-
tions naturelles de l'homme pour ou contre la servitude,
mais par les prodiges qu'ont faits tous les Peuples libres
pour se garantir de l'oppression. Je sais que les premiers
ne font que vanter sans cesse la paix et le repos dont ils
joüissent dans leurs fers, et que *miserrimam servitutem
pacem appellant* : mais quand je vois les autres sacrifier
les plaisirs, le repos, la richesse, la puissance, et la vie
même à la conservation de ce seul bien si dédaigné de
ceux qui l'ont perdu ; quand je vois des Animaux nés
libres et abhorrant la captivité, se briser la tête contre les
barreaux de leur prison ; quand je vois des multitudes
de Sauvages tout nuds mépriser les voluptés Européennes et braver la faim, le feu, le fer et la mort pour
ne conserver que leur indépendance, je sens que ce n'est
pas à des Esclaves qu'il appartient de raisonner de
liberté.

Quant à l'autorité Paternelle dont plusieurs ont fait
dériver le Gouvernement absolu et toute la Société, sans
recourir aux preuves contraires de Locke et de Sidney,
il suffit de remarquer que rien au monde n'est plus éloigné de l'esprit féroce du Despotisme que la douceur
de cette autorité qui regarde plus à l'avantage de celui
qui obéit qu'à l'utilité de celui qui commande ; que par
la Loi de Nature, le Pere n'est le maître de l'Enfant
qu'aussi longtems que son secours lui est nécessaire,
qu'audelà de ce terme ils deviennent égaux, et qu'alors
le fils parfaitement indépendant du Pere, ne lui doit que
du respect, et non de l'obéissance ; car la réconnoissance
est bien un devoir qu'il faut rendre, mais non pas un

droit qu'on puisse exiger. Au lieu de dire que la Société
civile dérive du pouvoir Paternel, il falloit dire au
contraire que c'est d'elle que ce pouvoir tire sa principale
force : un individu ne fut reconnu pour le Pere de plusieurs que quand ils restérent assemblés autour de lui ;
Les biens du Pere, dont il est véritablement le Maître,
sont les liens qui retiennent ses enfans dans sa dépendance, et il peut ne leur donner part à sa succession
qu'à proportion qu'ils auront bien mérité de lui par
une continuelle déférence à ses volontés. Or, loin que
les sujets ayent quelque faveur semblable à attendre
de leur Despote, comme ils lui appartiennent en propre,
eux et tout ce qu'ils possédent, ou du moins qu'il le
prétend ainsi, ils sont réduits à recevoir comme une
faveur ce qu'il leur laisse de leur propre bien ; il fait
justice quand il les dépoüille ; il fait grace quand il les
laisse vivre.

En continuant d'examiner ainsi les faits par le Droit,
on ne trouveroit pas plus de solidité que de vérité dans
l'établissement volontaire de la Tyrannie, et il seroit
difficile de montrer la validité d'un contract qui n'obli-
geroit qu'une des parties, où l'on mettroit tout d'un côté
et rien de l'autre, et qui ne tourneroit qu'au préjudice
de celui qui s'engage. Ce Systême odieux est bien éloigné d'être même aujourd'hui celui des Sages et bons
Monarques, et surtout des Rois de France, comme on
peut le voir en divers endroits de leurs Edits et en particulier dans le passage suivant d'un Ecrit célebre, publié
en 1667, au nom et par les ordres de Louis XIV. *Qu'on
ne dise donc point que le Souverain ne soit pas sujet aux
Loix de son Etat, puis que la proposition contraire est une
vérité du Droit des Gens que la flatterie a quelque fois*

*attaquée, mais que les bons Princes ont toujours défendue
comme une divinité tutelaire de leurs États. Combien est-il
plus légitime de dire avec le Sage Platon, que la parfaite
félicité d'un Royaume est qu'un Prince soit obéi de ses
Sujets, que le Prince obéisse à la Loi, et que la Loi soit
droite et toujours dirigée au bien public.* Je ne m'arrêterai
point à rechercher si, la liberté étant la plus noble des
facultés de l'homme, ce n'est pas dégrader sa Nature, se
mettre au niveau des Bêtes esclaves de l'instinct, offenser même l'Auteur de son être, que de renoncer sans re-
serve au plus précieux de tous ses dons, que de se soumettre à commettre tous les crimes qu'il nous défend,
pour complaire à un Maître féroce ou insensé, et si cet
ouvrier sublime doit être plus irrité de voir détruire
que deshonorer son plus bel ouvrage *. Je demanderai
seulement de quel Droit ceux qui n'ont pas craint de
s'avilir eux-mêmes jusqu'à ce point, ont pû soûmettre
leur postérité à la même ignominie, et renoncer pour elle
à des biens qu'elle ne tient point de leur libéralité, et
sans lesquels la vie même est onéreuse à tous ceux qui
en sont dignes ?

Pufendorff dit que tout de même qu'on transfére son
bien à autrui par des conventions et des Contracts, on
peut aussi se dépouiller de sa liberté en faveur de quelqu'un. C'est-là, ce me semble, un fort mauvais raisonnement ; car premiérement le bien que j'aliéne me devient
une chose tout-à-fait étrangère, et dont l'abus m'est

---

* Je négligerai, si l'on veut, l'autorité de Barbeyrac, qui déclare
nettement d'après Locke, que nul ne peut vendre sa liberté jusqu'à
se soumettre à une puissance arbitraire qui le traite à sa fantaisie :
Car, ajoute-t-il, *ce seroit vendre sa propre vie, dont on n'est pas le maître.*
(Ed. 1782.)

indifférent ; mais il m'importe qu'on n'abuse point de ma
liberté, et je ne puis, sans me rendre coupable du mal
qu'on me forcera de faire, m'exposer à devenir l'instrument du crime : De plus le Droit de propriété n'étant que
de convention et d'institution humaine, tout homme
peut à son gré disposer de ce qu'il posséde : mais il n'en
est pas de même des Dons essentiels de la Nature, tels
que la vie et la liberté, dont il est permis à chacun de
joüir, et dont il est au moins douteux qu'on ait Droit
de se dépoüiller : En s'ôtant l'une on dégrade son être;
en s'ôtant l'autre on l'anéantit autant qu'il est en soi ;
et comme nul bien temporel ne peut dédommager de
l'une et de l'autre, ce seroit offenser à la fois la Nature
et la raison que d'y renoncer à quelque prix que ce fût.
Mais quand on pourroit aliéner sa liberté comme ses
biens, la différence seroit très grande pour les Enfans qui
ne jouissent des biens du Pere que par transmission de
son droit, au lieu que la liberté étant un don qu'ils tiennent de la Nature en qualité d'hommes, leurs Parens
n'ont eu aucun Droit de les en dépoüiller ; de sorte que
comme pour établir l'Esclavage, il a fallu faire violence
à la Nature, il a fallu la changer pour perpetuer ce Droit ;
Et les Jurisconsultes qui ont gravement prononcé que
l'enfant d'une Esclave naîtroit Esclave, ont décidé en
d'autres termes qu'un homme ne naîtroit pas homme.

Il me paroît donc certain que non seulement les Gouvernemens n'ont point commencé par le Pouvoir Arbitraire, qui n'en est que la corruption, le terme extrême,
et qui les ramène enfin à la seule loi du plus fort dont ils
furent d'abord le reméde, mais encore que quand même
ils auroient ainsi commencé, ce pouvoir étant par sa
Nature illégitime, n'a pu servir de fondement aux Droits

de la Société, ni par conséquent à l'inégalité d'institution.

Sans entrer aujourd'hui dans les recherches qui sont encore à faire sur la Nature du Pacte fondamental de tout Gouvernement, je me borne en suivant l'opinion commune à considerer ici l'établissement du Corps Politique comme un vrai Contract entre le Peuple et les Chefs qu'il se choisit ; Contract par lequel les deux Parties s'obligent à l'observation des Loix qui y sont stipulées et qui forment les liens de leur union. Le Peuple ayant, au sujet des relations Sociales, réuni toutes ses volontés en une seule, tous les articles sur lesquels cette volonté s'explique, deviennent autant de Loix fonda-mentales qui obligent tous les membres de l'Etat sans exception, et l'une desquelles régle le choix et le pouvoir des Magistrats chargés de veiller à l'exécution des autres. Ce pouvoir s'étend à tout ce qui peut maintenir la Cons-titution, sans aller jusqu'à la changer. On y joint des honneurs qui rendent respectables les Loix et leurs Mi-nistres, et pour ceux-ci personnellement des préroga-tives qui les dédommagent des pénibles travaux que coûte une bonne administration. Le Magistrat, de son côté, s'oblige à n'user du pouvoir qui lui est confié que selon l'intention des Commettans, à maintenir chacun dans la paisible jouissance de ce qui lui appartient, et à pré-férer en toute occasion l'utilité publique à son propre intérêt.

Avant que l'experience eût montré, ou que la connois-sance du cœur humain eût fait prévoir les abus inévi-tables d'une telle constitution, elle dut paroître d'au-tant meilleure, que ceux qui étoient chargés de veiller à sa conservation, y étoient eux-mêmes les plus inté-ressés ; car la Magistrature et ses Droits n'étant établis

que sur les Loix fondamentales, aussitôt qu'elles seroient
detruites, les Magistrats cesseroient d'être legitimes, le
Peuple ne seroit plus tenu de leur obéïr, et comme ce
n'auroit pas été le Magistrat, mais la Loi qui auroit constitué l'essence de l'Etat, chacun rentreroit de Droit dans
sa liberté Naturelle.

Pour peu qu'on y réfléchit attentivement, ceci se
confirmeroit par de nouvelles raisons, et par la Nature
du Contract on verroit qu'il ne sauroit être irrévocable :
car s'il n'y avoit point de pouvoir supérieur qui pût être
garant de la fidélité des Contractans, ni les forcer à remplir leurs engagements réciproques, les Parties demeu-
reroient seules juges dans leur propre cause, et chacune
d'elles auroit toûjours le Droit de renoncer au Contract,
sitôt qu'elle trouveroit que l'autre en enfreint les conditions, ou qu'elles cesseroient de lui convenir. C'est sur
ce principe qu'il semble que le Droit d'abdiquer peut
être fondé. Or, à ne considérer, comme nous faisons,
que l'institution humaine, si le Magistrat qui a tout le
pouvoir en main, et qui s'approprie tous les avantages
du Contract, avoit pourtant le droit de renoncer à l'autorité ; à plus forte raison le Peuple, qui paye toutes les
fautes des Chefs, devroit avoir le Droit de renoncer à
la Dépendance. Mais les dissentions affreuses, les désordres infinis qu'entraîneroit nécessairement ce dangereux pouvoir, montrent plus que toute autre chose
combien les Gouvernemens humains avoient besoin
d'une base plus solide que la seule raison, et combien il
étoit nécessaire au repos public que la volonté divine
intervînt pour donner à l'autorité Souveraine un caractére sacré et inviolable qui ôtât aux sujets le funeste
Droit d'en disposer. Quand la Religion n'auroit fait que

ce bien aux hommes, c'en seroit assés pour qu'ils dus-
sent tous la chérir et l'adopter, même avec ses abus,
puisqu'elle épargne encore plus de sang que le fanatisme
n'en fait couler : mais suivons le fil de notre hypothése.

Les diverses formes des Gouvernemens tirent leur
origine des différences plus ou moins grandes qui se
trouvérent entre les particuliers au moment de l'Institution. Un homme étoit-il éminent en pouvoir, en
vertu, en richesses, ou en crédit? Il fut seul élu Magistrat, et l'État devint Monarchique ; si plusieurs à peu
près égaux entre-eux l'emportaient sur tous les Autres,
ils furent élus conjointement, et l'on eut une Aristocra-
tie ; Ceux dont la fortune ou les talens étoient moins
disproportionnés, et qui s'étoient le moins éloignés de
l'Etat de Nature, gardérent en commun l'Administration suprême, et formèrent une Démocratie. Le tems
vérifia laquelle de ces formes étoit la plus avantageuse
aux hommes. Les uns restérent uniquement soûmis aux
Loix, les autres obéïrent bientôt à des Maîtres. Les Citoyens voulurent garder leur liberté, les sujets ne songérent qu'à l'ôter à leurs voisins, ne pouvant souffrir que
d'autres jouissent d'un bien dont ils ne jouissoient plus
eux mêmes. En un mot, d'un côté furent les richesses
et les Conquêtes, et de l'autre le bonheur et la vertu.

Dans ces divers Gouvernemens toutes les magistra-
tures furent d'abord Électives ; et quand la Richesse
ne l'emportait pas, la préférence étoit accordée au mérite qui donne un Ascendant Naturel, et à l'âge qui donne l'expérience dans les affaires et le sang froid dans les
délibérations. Les anciens des Hébreux, les Gerontes de
Spartes, le Sénat de Rome, et l'Etymologie même de
notre mot *Seigneur* montrent combien autrefois la Vieil-

lesse étoit respectée. Plus les Élections tomboient sur
des hommes avancés en âge, plus elles devenoient
fréquentes, et plus leurs embarras se faisoient sentir ;
les brigues s'introduisirent, les factions se formérent, les
partis s'aigrirent, les Guerres civiles s'allumérent, enfin
le sang des Citoyens fut sacrifié au prétendu bonheur de
l'État, et l'on fut à la veille de retomber dans l'Anar-
chie des tems antérieurs. L'ambition des Principaux
profita de ces circonstances pour perpétuer leurs charges
dans leurs familles : le Peuple déjà accoûtumé à la dépendance, au repos et aux commodités de la vie, et
déjà hors d'Etat de briser ses fers, consentit à laisser
augmenter sa servitude pour affermir sa tranquillité ;
et c'est ainsi que les Chefs devenus héréditaires s'ac-
coûtumérent à regarder leur Magistrature comme un
bien de famille, à se regarder eux-mêmes comme les
propriétaires de l'Etat dont ils n'étoient d'abord que
les Officiers, à appeller leurs Concitoyens leurs Esclaves,
à les compter comme du Betail au nombre des choses
qui leur appartenoient, et à s'appeller eux mêmes égaux
aux Dieux et Rois des Rois.

Si nous suivons le progrès de l'inégalité dans ces différentes révolutions, nous trouverons que l'établissement
de la Loi et du Droit de propriété fut son premier terme ;
l'institution de la Magistrature le second ; que le troisiéme et dernier fut le changement du pouvoir légitime
en pouvoir arbitraire ; en sorte que l'Etat de riche et de
pauvre fut autorisé par la premiere Epoque, celui de
puissant et de foible par la seconde, et par la troisiéme
celui de Maître et d'Esclave, qui est le dernier dégré de
l'inégalité, et le terme auquel aboutissent enfin tous les
autres, jusqu'à ce que de nouvelles révolutions dissol-

vent tout à fait le Gouvernement, ou le rapprochent de l'institution légitime.

Pour comprendre la nécessité de ce progrés il faut moins considérer les motifs de l'établissement du Corps Politique, que la forme qu'il prend dans son exécution et les inconveniens qu'il entraîne après lui : car les vices qui rendent nécessaires les institutions sociales, sont les mêmes qui en rendent l'abus inévitable ; et comme, excepté la seule Sparte, où la Loi veilloit principalement à l'éducation des Enfans, et où Lycurgue établit des mœurs qui les dispensoient presque d'y ajoûter des Loix, les Loix en général moins fortes que les passions contiennent les hommes sans les changer ; il seroit aisé de prouver que tout Gouvernement qui, sans se corrompre ni s'altérer, marcheroit toûjours exactement selon la fin de son institution, auroit été institué sans nécessité, et qu'un Pays où personne n'éluderoit les Loix et n'abuseroit de la Magistrature, n'auroit besoin ni de Magistrats ni de Loix.

Les distinctions Politiques amenent nécessairement les distinctions civiles. L'inégalité croissant entre le Peuple et ses Chefs, se fait bientôt sentir parmi les particuliers, et s'y modifie en mille maniéres selon les passions, les talens et les occurences. Le Magistrat ne sauroit usurper un pouvoir illégitime sans se faire des créatures auxquelles il est forcé d'en ceder quelque partie. D'ailleurs, les Citoyens ne se laissent opprimer qu'autant qu'entraînés par une aveugle ambition et regardant plus au-dessous qu'au dessus d'eux, la Domination leur devient plus chére que l'indépendance, et qu'ils consentent à porter des fers pour en pouvoir donner à leur tour. Il est très difficile de réduire à l'obéissance

celui qui ne cherche point à commander, et le Politique
le plus adroit ne viendroit pas à bout d'assujettir des
hommes qui ne voudroient qu'être Libres ; mais l'inégalité s'étend sans peine parmi des ames ambitieuses et
lâches, toûjours prêtes à courrir les risques de la fortune,
et à dominer ou servir presque indifféremment selon
qu'elle leur devient favorable ou contraire. C'est ainsi
qu'il dut venir un tems où les yeux du Peuple furent
fascinés à tel point, que ses conducteurs n'avoient qu'à
dire au plus petit des hommes, sois Grand toi et toute
ta race, aussi-tôt il paroissoit grand à tout le monde,
ainsi qu'à ses propres yeux, et ses Descendans s'éle-
voient encore à mesure qu'ils s'éloignoient de lui ;
plus la cause étoit reculée et incertaine, plus l'effet aug-
mentoit ; plus on pouvoit compter de fainéans dans une
famille, et plus elle devenoit illustre.

Si c'étoit ici le lieu d'entrer en des détails, j'explique-
rois facilement comment * l'inégalité de crédit et d'autorité devient inévitable entre les Particuliers [19] sitôt
que réunis en une même Société, ils sont forcés de se
comparer entre eux, et de tenir compte des différences
qu'ils trouvent dans l'usage continuel qu'ils ont à faire
les uns des autres. Ces différences sont de plusieurs especes ; mais en général la richesse, la noblesse ou le rang,
la Puissance et le mérite personnel, étant les distinctions
principales par lesquelles on se mesure dans la Société,
je prouverois que l'accord ou le conflit de ces forces
diverses est l'indication la plus sûre d'un État bien ou
mal constitué : Je ferois voir qu'entre ces quatre sortes
d'inégalité, les qualités personnelles étant l'origine de

---

* sans même que le Gouvernement s'en mêle. (Ed. 1782.)

toutes les autres, la richesse est la derniére à laquelle
elles se réduisent à la fin, parce qu'étant la plus immédiatement utile au bien-être et la plus facile à communiquer, on s'en sert aisément pour acheter tout le reste.
Observation qui peut faire juger assés exactement de la
mesure dont chaque Peuple s'est éloigné de son institution primitive, et du chemin qu'il a fait vers le terme
extrême de la corruption. Je remarquerois combien ce
désir universel de réputation, d'honneurs, et de préférences, qui nous dévore tous, exerce et compare les
talens et les forces, combien il excite et multiplie les
passions, et combien rendant tous les hommes
concurrens, rivaux ou plûtôt ennemis, il cause tous les
jours de revers, de succès, et de catastrophes de toute
espéce en faisant courrir la même lice à tant de Pré-
tendans : Je montrerois que c'est à cette ardeur de faire
parler de soi, à cette fureur de se distinguer qui nous
tient presque toûjours hors de nous mêmes, que nous
devons ce qu'il y a de meilleur et de pire parmi les
hommes, nos vertus et nos vices, nos Sciences et nos
erreurs, nos Conquérans et nos Philosophes, c'est-à-
dire, une multitude de mauvaises choses sur un petit
nombre de bonnes. Je prouverois enfin que si l'on voit
une poignée de puissans et de riches au faîte des grandeurs et de la fortune, tandis que la foule rampe dans
l'obscurité et dans la misére, c'est que les premiers n'es-
timent les choses dont ils jouissent qu'autant que les
autres en sont privés, et que, sans changer d'état, ils
cesseroient d'être heureux, si le Peuple cessoit d'être
misérable.

Mais ces détails feroient seuls la matiére d'un ouvrage
considérable dans lequel on péseroit les avantages et

les inconvénients de tout Gouvernement, rélativement
aux Droits de l'Etat de Nature, et où l'on dévoîleroit
toutes les faces différentes sous lesquelles l'inégalité s'est
montrée jusqu'à ce jour, et pourra se montrer dans les
Siècles * selon la Nature de ces Gouvernemens, et les
révolutions que le tems y aménera nécessairement. On
verroit la multitude opprimée au dedans par une suite
des précautions mêmes qu'elle avoit prises contre ce qui
la menaçoit au dehors ; On verroit l'oppression s'accroître
continuellement sans que les opprimés pussent jamais
savoir quel terme elle auroit, ni quels moyens légitimes
il leur resteroit pour l'arrêter. On verroit les Droits des
Citoyens et les libertés Nationales s'éteindre peu à peu,
et les réclamations des foibles traitées de murmures sé-
ditieux. On verroit la politique restreindre à une portion
mercenaire du Peuple l'honneur de défendre la cause
commune : On verroit de là sortir la nécessité des impôts,
le Cultivateur découragé quitter son champ même
durant la Paix et laisser la charüe pour ceindre l'épée.
On verroit naître les règles funestes et bisarres du
point-d'honneur : On verroit les défenseurs de la Patrie
en devenir tôt ou tard les Ennemis, tenir sans cesse le
poignard levé sur leurs concitoyens, et il viendroit un
tems où l'on les entendroit dire à l'oppresseur de leur
Pays :

Pectore si fratis gladium juguloque parentis
Condere me jubeas, gravidæque in viscera partu
Conjugis, invitâ peragam tamen omnia dextrâ.

* futurs. (Ed. 1782.)

De l'extrême inégalité des Conditions et des fortunes,
de la diversité des passions et des talens, des arts inutiles,
des arts pernicieux, des Sciences frivoles sortiroient des
foules de préjugés, également contraires à la raison, au
bonheur, et à la vertu ; on verroit fomenter par les Chefs
tout ce qui peut affoiblir des hommes rassemblés en les
désunissant ; tout ce qui peut donner à la Société un air
de concorde apparente et y semer un germe de division
réelle ; tout ce qui peut inspirer aux différens ordres une
défiance et une haine mutuelle par l'opposition de leurs
Droits et de leurs intérêts, et fortifier par conséquent le
pouvoir qui les contient tous.

C'est du sein de ce désordre et de ces révolutions que
le Despotisme élevant par degrés sa tête hideuse et dé-
vorant tout ce qu'il auroit apperçu de bon et de sain
dans toutes les parties de l'État, parviendroit enfin à
fouler aux pieds les Loix et le Peuple, et à s'établir sur
les ruines de la République. Les tems qui précéderoient
ce dernier changement seroient des tems de troubles et
de calamités : mais à la fin tout seroit englouti par le
Monstre ; et les Peuples n'auroient plus de Chefs ni de
Loix, mais seulement des Tyrans. Dès cet instant aussi
il cesseroit d'être question de mœurs et de vertu ; car
partout où règne le Despotisme, *cui ex honesto nulla est
spes*, il ne souffre aucun autre maître ; sitôt qu'il parle,
il n'y a ni probité ni devoir à consulter, et la plus aveugle obéissance est la seule vertu qui reste aux Esclaves.

C'est ici le dernier terme de l'inégalité, et le point extrême qui ferme le Cercle et touche au point d'où nous
sommes partis : C'est ici que tous les particuliers rede-
viennent égaux parce qu'ils ne sont rien, et que les Sujets n'ayant plus d'autre Loi que la volonté du Maître,

ni le Maître d'autre regle que ses passions, les notions
du bien, et les principes de la justice s'évanouissent de
rechef. C'est ici que tout se ramene à la seule Loi du plus
fort, et par conséquent à un nouvel Etat de Nature différent de celui par lequel nous avons commencé, en ce
que l'un étoit l'Etat de Nature dans sa pureté, et que
ce dernier est le fruit d'un excès de corruption. Il y a si
peu de différence d'ailleurs entre ces deux états, et le
Contract de Gouvernement est tellement dissous par
le Despotisme, que le Despote n'est le Maître qu'aussi
longtems qu'il est le plus fort, et que sitôt qu'on peut
l'expulser, il n'a point à réclamer contre la violence. L'é-
meute qui finit par étrangler ou détrôner un Sultan est
un acte aussi juridique que ceux par lesquels il disposoit
la veille des vies et des biens de ses Sujets. La seule force
le maintenoit, la seule force le renverse ; toutes choses
se passent ainsi selon l'ordre Naturel ; et quel que puisse
être l'événement de ces courtes et fréquentes révolutions,
nul ne peut se plaindre de l'injustice d'autrui, mais seulement de sa propre imprudence, ou de son malheur.

En découvrant et suivant ainsi les routes oubliées et
perdues qui de l'état Naturel ont dû mener l'homme à
l'état Civil ; en rétablissant, avec les positions intermédiaires que je viens de marquer, celles que le tems qui
me presse m'a fait supprimer, ou que l'imagination ne
m'a point suggérées ; tout Lecteur attentif ne pourra
qu'être frappé de l'espace immense qui sépare ces deux
états. C'est dans cette lente succession des choses qu'il
verra la solution d'une infinité de problêmes de morale
et de Politique que les Philosophes ne peuvent résoudre.
Il sentira que le Genre-humain d'un âge n'étant pas le
Genre-humain d'un autre âge, la raison pourquoi Dio-

géne ne trouvoit point d'homme, c'est qu'il cherchoit
parmi ses contemporains l'homme d'un tems qui n'étoit
plus : Caton, dira-t-il, périt avec Rome et la liberté,
parce qu'il fut déplacé dans son siécle, et le plus grand
des hommes ne fit qu'étonner le monde qu'il eût gouverné cinq cens ans plûtôt. En un mot, il expliquera
comment l'ame et les pâssions humaines s'altérant insensiblement, changent pour ainsi dire de Nature ; pourquoi nos besoins et nos plaisirs changent d'objets à la
longue ; pourquoi l'homme originel s'évanouissant par
degrés, la Société n'offre plus aux yeux du sage qu'un
assemblage d'hommes artificiels et de passions factices
qui sont l'ouvrage de toutes ces nouvelles rélations, et
n'ont aucun vrai fondement dans la Nature. Ce que
la réflexion nous apprend là-dessus, l'observation le
confirme parfaitement : L'homme Sauvage et l'homme
policé différent tellement par le fond du cœur et des
inclinations, que ce qui fait le bonheur suprême de l'un,
réduiroit l'autre au désespoir. Le premier ne respire
que le repos et la liberté, il ne veut que vivre et rester
oisif, et l'ataraxie même du Stoïcien n'approche pas de
sa profonde indifférence pour tout autre objet. Au contraire, le Citoyen toujours actif, suë, s'agite, se tourmente sans cesse pour chercher des occupations encore
plus laborieuses : il travaille jusqu'à la mort, il y court
même pour se mettre en état de vivre, ou renonce à la
vie pour acquerir l'immortalité, il fait sa cour aux grands
qu'il hait et aux riches qu'il méprise ; il n'épargne rien
pour obtenir l'honneur de les servir ; il se vante orgueil-
leusement de sa bassesse et de leur protection, et fier de
son esclavage, il parle avec dédain de ceux qui n'ont
pas l'honneur de le partager. Quel Spectacle pour un

Caraïbe, que les travaux pénibles et enviés d'un Ministre Européen! Combien de morts cruelles ne préféreroit pas cet indolent Sauvage à l'horreur d'une pareille vie qui souvent n'est pas même adoucie par le plaisir de bien faire? Mais pour voir le but de tant de soins, il faudroit que ces mots, *puissance* et *réputation*, eussent un sens dans son esprit, qu'il apprît qu'il y a une sorte d'hommes qui comptent pour quelque chose les regards du reste de l'univers, qui savent être heureux et contens d'eux-mêmes sur le témoignage d'autrui plûtôt que sur le leur propre. Telle est, en effet, la véritable cause de toutes ces différences : le Sauvage vit en lui-même ; l'homme sociable toûjours hors de lui ne sait vivre que dans l'opinion des autres, et c'est, pour ainsi dire, de leur seul jugement qu'il tire le sentiment de sa propre éxistence. Il n'est pas de mon sujet de montrer comment d'une telle disposition naît tant d'indifférence pour le bien et le mal, avec de si beaux discours de morale ; comment tout se réduisant aux apparences, tout devient factice et joüé ; honneur, amitié, vertu, et souvent jusqu'aux vices mêmes, dont on trouve enfin le secret de se glorifier ; comment, en un mot, demandant toujours aux autres ce que nous sommes et n'osant jamais nous interroger là-dessus nous mêmes, au milieu de tant de Philosophie, d'humanité, de politesse et de maximes Sublimes, nous n'avons qu'un extérieur trompeur et frivole, de l'honneur sans vertu, de la raison sans sagesse, et du plaisir sans bonheur. Il me suffit d'avoir prouvé que ce n'est point-là l'état originel de l'homme, et que c'est le seul esprit de la Société et l'inégalité qu'elle engendre, qui changent et altérent ainsi toutes nos inclinations naturelles.

J'ai tâché d'exposer l'origine et le progrès de l'inégalité, l'établissement et l'abus des Sociétés politiques, autant que ces choses peuvent se déduire de la Nature de l'homme par les seules lumiéres de la raison, et indépendamment des Dogmes sacrés qui donnent à l'autorité Souveraine la Sanction du Droit Divin. Il suit de cet exposé que l'inégalité étant presque nulle dans l'État de Nature, tire sa force et son accroissement du développement de nos facultés et des progrès de l'Esprit humain, et devient enfin stable et légitime par l'établissement de la propriété et des Loix. Il suit encore que l'inégalité morale, autorisée par le seul droit positif, est contraire au Droit Naturel, toutes les fois qu'elle ne concourt pas en même proportion avec l'inégalité Physique ; distinction qui détermine suffisamment ce qu'on doit penser à cet egard de la sorte d'inégalité qui regne parmi tous les Peuples policés ; puisqu'il est manifestement contre la Loi de Nature, de quelque maniére qu'on la définisse, qu'un enfant commande à un vieillard, qu'un imbécille conduise un homme sage, et qu'une poignée de gens regorge de superfluités, tandis que la multitude affamée manque du nécessaire.

RÉPONSE [A VOLTAIRE]

A Paris le 10 7bre 1755.

C'est à moi, Monsieur, de vous remercier à tous égards.
En vous offrant l'ébauche de mes tristes rêveries, je n'ai
point cru vous faire un présent digne de vous, mais
m'acquiter d'un devoir et vous rendre un hommage que
nous vous devons tous comme à nôtre chef. Sensible,
d'ailleurs, à l'honneur que vous faites à ma patrie, je
partage la reconnoissance de mes Concitoyens, et j'espére
qu'elle ne fera qu'augmenter encore, lorsqu'ils auront
profitté des instructions que vous pouvez leur donner.
Embelissez l'asyle que vous avez choisi : éclairez un
Peuple digne de vos leçons ; et, vous qui savez si bien
peindre les vertus de la liberté, aprenez-nous à les cherir
dans nos murs comme dans vos Ecrits. Tout ce qui vous
approche doit apprendre de vous le chemin de la gloire.

Vous voyez que je n'aspire pas à nous rétablir dans
nôtre bêtise, quoique je regrette beaucoup, pour ma
part, le peu que j'en ai perdu. A vôtre égard, Monsieur,
ce retour seroit un miracle, si grand à la fois et si nui-
sible, qu'il n'appartiendroit qu'à Dieu de le faire et qu'au

Diable de le vouloir. Ne tentez donc pas de retomber à
quatre pattes ; personne au monde n'y reussiroit moins
que vous. Vous nous redressez trop bien sur nos deux
pieds pour cesser de vous tenir sur les vôtres.

Je conviens de toutes les disgraces qui poursuivent
les hommes célèbres dans les lettres ; je conviens même
de tous les maux attachés à l'Humanité et qui semblent
indépendans de nos vaines connoissances. Les hommes
ont ouvert sur eux-mêmes tant de sources de misères,
que quand le hasard en détourne quelqu'une, ils n'en
sont guéres moins inondés. D'ailleurs il y a dans le
progrès des choses des liaisons cachées que le vulgaire
n'apperçoit pas, mais qui n'échapperont point à l'œil
du sage quand il y voudra réfléchir. Ce n'est ni Térence,
ni Ciceron, ni Virgile, ni Seneque, ni Tacite ; ce ne sont
ni les savans ni les Poetes qui ont produit les malheurs
de Rome et les crimes des Romains : mais sans le poison
lent et secret qui corrompoit peu-à-peu le plus vigoureux
gouvernement dont l'histoire ait fait mention, Ciceron
ni Lucrece, ni Salluste n'eussent point existé ou n'eussent point écrit. Le siécle aimable de Lelius et de Térence
amenoit de loin le siècle brillant d'Auguste et d'Horace,
et enfin les siécles horribles de Seneque et de Neron,
de Domitien et de Martial. Le gout des Lettres et des
Arts nait chez un Peuple d'un vice intérieur qu'il augmente ; et s'il est vrai que tous les progrès humains sont
pernicieux à l'espéce, ceux de l'esprit et des connoissances qui augmentent nôtre orgueil et multiplient nos
égaremens, accélerent bientôt nos malheurs. Mais il
vient un tems où le mal est tel que les causes mêmes qui
l'ont fait naitre sont necessaires pour l'empêcher d'augmenter ; c'est le fer qu'il faut laisser dans la playe, de

peur que le blessé n'expire en l'arrachant. Quant à moi si j'avois suivi ma prémiére vocation et que je n'eusse ni lu ni écrit, j'en aurois sans doute été plus heureux. Cependant, si les lettres étoient maintenant anéanties, je serois privé du seul plaisir qui me reste. C'est dans leur sein que je me console de tous mes maux : c'est parmi ceux qui les cultivent que je goûte les douceurs de l'amitié et que j'apprends à jouir de la vie sans craindre la mort. Je leur dois le peu que je suis ; je leur dois même l'honneur d'être connu de vous ; mais consultons l'intérest dans nos affaires et la vérité dans nos écrits. Quoiqu'il faille des Philosophes, des Historiens, des Savans pour éclairer le Monde et conduire ses aveugles habitans ; si le sage Memnon m'a dit vrai, je ne connois rien de si fou qu'un Peuple de sages.

Convenez-en, Monsieur ; s'il est bon que de grands Genies instruisent les hommes, il faut que le vulgaire reçoive leurs instructions : si chacun se mêle d'en donner, qui les voudra recevoir ? Les boiteux, dit Montaigne, sont mal propres aux exercices du corps, et aux exercices de l'esprit les ames boiteuses.

Mais en ce siécle savant, on ne voit que boiteux vouloir apprendre à marcher aux autres. Le peuple reçoit les Écrits des sages pour les juger non pour s'instruire. Jamais on ne vit tant de Dandins. Le Théâtre en fourmille, les caffés retentissent de leurs sentences ; ils les affichent dans les journaux, les Quais sont couverts de leurs Ecrits, et j'entends critiquer l'Orphelin *, parce qu'on l'applaudit, à tel grimaud si peu capable d'en voir les défauts, qu'à peine en sent-il les beautés.

---

* Tragedie de M. de Voltaire qu'on jouoit dans ce tems-là.

Recherchons la prémiére source des desordres de la societé, nous trouverons que tous les maux des hommes leur viennent de l'erreur bien plus que de l'ignorance, et que ce que nous ne savons point nous nuit beaucoup moins que ce que nous croyons savoir. Or quel plus sur moyen de courir d'erreurs en erreurs, que la fureur de savoir tout ? Si l'on n'eut prétendu savoir que la terre ne tournoit pas, on n'eut point puni Galilée pour avoir dit qu'elle tournoit. Si les seuls Philosophes en eussent réclamé le titre, l'Encyclopedie n'eut point eu de persécuteurs. Si cent Myrmidons n'aspiroient à la gloire, vous jouïriez en paix de la vôtre, ou du moins vous n'auriez que des rivaux dignes de vous.

Ne soyez donc pas surpris de sentir quelques épines inséparables des fleurs qui couronnent les grands talens. Les injures de vos ennemis sont les acclamations satyriques qui suivent le cortége des Triomphateurs : c'est l'empressement du public pour tous vos Écrits qui produit les vols dont vous vous plaignez : mais les falsifications n'y sont pas faciles, car le fer ni le plomb ne s'allient pas avec l'or. Permettez-moi de vous le dire par l'intérest que je prends à vôtre repos et à nôtre instruction. Meprisez de vaines clameurs par lesquelles on cherche moins à vous faire du mal qu'à vous détourner de bien faire. Plus on vous critiquera, plus vous devez vous faire admirer. Un bon livre est une terrible réponse à des injures imprimées ; et qui vous oseroit attribuer des Ecrits que vous n'aurez point faits, tant que vous n'en ferez que d'inimitables ?

Je suis sensible à vôtre invitation ; et si cet hiver me laisse en état d'aller au printems habiter ma Patrie, j'y profiterai de vos bontés. Mais j'aimerois mieux boire

de l'eau de vôtre fontaine que du lait de vos vaches, et
quant aux herbes de vôtre verger, je crains bien de
n'y en trouver d'autres que le Lotos, qui n'est pas la
pâture des Bêtes, et le Moly qui empêche les hommes de le
devenir.

Je suis de tout mon cœur et avec respect. etc.

LETTRE DE J.-J. ROUSSEAU
A MONSIEUR PHILOPOLIS.

Vous voulez, Monsieur, que je vous réponde, puisque
vous me faites des questions. Il s'agit, d'ailleurs, d'un
ouvrage dédié à mes Concitoyens ; je dois en le deffendant
justifier l'honneur qu'ils m'ont fait de l'accepter. Je
laisse à part dans vôtre Lettre ce qui me regarde en bien
et en mal parce que l'un compense l'autre à peu près,
que j'y prends peu d'intérêt, le public encore moins, et
que tout cela ne fait rien à la recherche de la vérité. Je
commence donc par le raisonnement que vous me pro-
posez comme essentiel à la question que j'ai tâché de
resoudre.

L'état de societé, me dites vous, résulte immédiatement des facultés de l'homme et par consequent de sa
nature. Vouloir que l'homme ne devint point sociable,
ce seroit donc vouloir qu'il ne fut point homme, et c'est
attaquer l'ouvrage de Dieu que de s'élever contre la
societé humaine. Permettez-moi, Monsieur, de vous
proposer à mon tour une difficulté avant de résoudre la
vôtre. Je vous épargnerois ce détour, si je connoissois
un chemin plus sur pour aller au but.

Supposons que quelques savans trouvassent un jour
le secret d'accelérer la vieillesse et l'art d'engager les

hommes à faire usage de cette rare découverte. Persua-
sion qui ne seroit peut être pas si difficile à produire
qu'elle paroit au prémier aspect. Car la raison, ce grand
véhicule de toutes nos sotises, n'auroit garde de nous
manquer à celle-ci. Les Philosophes, surtout, et les gens
sensés, pour secoüer le joug des passions et gouter le
précieux repos de l'ame, gagneroient à grands pas l'âge
de Nestor, et renonceroient volontiers aux desirs qu'on
peut satisfaire afin de se garantir de ceux qu'il faut
étouffer. Il n'y auroit que quelques étourdis qui, rougis-
sant même de leur foiblesse, voudroient follement rester
jeunes et heureux au lieu de vieillir pour être sages.

Supposons qu'un esprit singulier, bizarre, et pour
tout dire, un homme à paradoxes, s'avisât alors de
reprocher aux autres l'absurdité de leurs maximes, de
leur prouver qu'ils courent à la mort en cherchant la
tranquillité, qu'ils ne font que radotter à force d'être
raisonnables, et que s'il faut qu'ils soient vieux un jour,
ils devroient tâcher au moins de l'être le plus tard qu'il
seroit possible.

Il ne faut pas demander si nos sophistes craignant le
décri de leur Arcane, se hâteroient d'interrompre ce
discoureur importun. « Sages vieillards », diroient ils
» leurs sectateurs, « remerciez le Ciel des graces qu'il
» vous accorde et félicitez-vous sans cesse d'avoir si
» bien suivi ses volontés. Vous étes décrepits, il est vrai,
» languissans, cacochymes ; tel est le sort inévitable de
» l'homme ; mais vôtre entendement est sain ; vous étes
» perclus de tous les membres, mais vôtre tête en est
» plus libre ; vous ne sauriez agir, mais vous parlez
» comme des oracles, et si vos douleurs augmentent de
» jour en jour, vôtre Philosophie augmente avec elles.

» Plaignez cette jeunesse impétueuse que sa brutale
» santé prive des biens attachés à vôtre foiblesse. Heu-
» reuses infirmités qui rassemblent autour de vous tant
» d'habiles Pharmaciens fournis de plus de drogues que
» vous n'avez de maux, tant de savans Medecins qui con-
» noissent à fond votre pou, qui savent en grec les noms
» de tous vos rhumatismes, tant de zélés consolateurs
» et d'heritiers fidéles qui vous conduisent agréablement
» à vôtre derniére heure. Que de secours perdus pour
» vous si vous n'aviez sû vous donner les maux qui les
» ont rendus nécessaires.

Ne pouvons nous pas imaginer qu'apostrophant
ensuite nôtre imprudent avertisseur, ils lui parleroient
à peu près ainsi :

« Cessez déclamateur téméraire de tenir ces discours
» impies. Osez-vous blâmer ainsi la volonté de celui
» qui a fait le genre humain? L'état de vieillesse ne de-
» coule-t-il pas de la constitution de l'homme? n'est-il
» pas naturel à l'homme de vieillir? Que faites-vous
» donc dans vos discours seditieux que d'attaquer une
» Loy de la nature et par consequent la volonté de son
» Créateur? Puisque l'homme vieillit, Dieu veut qu'il
» vieillisse. Les faits sont-ils autre chose que l'expression
» de sa volonté? Aprenez que l'homme jeune n'est point
» celui que Dieu a voulu faire, et que pour s'empresser
» d'obeir à ses ordres il faut se hâter de vieillir.

Tout cela supposé, je vous demande, Monsieur, si
l'homme aux paradoxes doit se taire ou répondre, et,
dans ce dernier cas, de vouloir bien m'indiquer ce qu'il
doit dire, je tâcherai de resoudre alors vôtre objection.

Puisque vous prétendez m'attaquer par mon propre
sistême, n'oubliez pas, je vous prie, que selon moi la

société est naturelle à l'espéce humaine comme la décre-
pitude à l'individu, et qu'il faut des arts, des Loix, des
Gouvernemens aux Peuples comme il faut des béquilles
aux vieillards. Toute la différence est que l'état de vieillesse découle de la seule nature de l'homme et que celui
de société découle de la nature du genre humain, non
pas immédiatement comme vous le dites, mais seulement
comme je l'ai prouvé, à l'aide de certaines circonstances
extérieures qui pouvoient être ou n'être pas, ou du moins
arriver plustôt ou plustard, et par consequent accélerer ou
ralentir le progrès. Plusieurs même, de ces circonstances
dependent de la volonté des hommes, j'ai été obligé
pour établir une parité parfaite de supposer dans l'individu le pouvoir d'accelerer sa vieillesse comme l'espéce
a celui de retarder la sienne. L'état de societé ayant donc
un terme extrême auquel les hommes sont les maitres
d'arriver plustôt ou plustard il n'est pas inutile de
leur montrer le danger d'aller si vîte, et les miséres
d'une condition qu'ils prennent pour la perfection de
l'espéce.

A l'énumération des maux dont les hommes sont
accablés et que je soutiens être leur propre ouvrage,
vous m'assurez Leibniz et vous que tout est bien, et
qu'ainsi la providence est justifiée. J'etois éloigné de
croire qu'elle eut besoin pour sa justification du secours
de la Philosophie Leibnizienne ni d'aucune autre. Pen-
sez-vous serieusement, vous-même, qu'un sistême de
Philosophie, quel qu'il soit, puisse être plus irreprehen-
sible que l'Univers, et que pour disculper la providence,
les argumens d'un Philosophe soient plus convain-
quans que les ouvrages de Dieu? Au reste, nier que le
mal existe est un moyen fort commode d'excuser l'au-

teur du mal. Les Stoiciens se sont autrefois rendus ridicules à meilleur marché.

Selon Leibniz et Pope, tout ce qui est, est bien. S'il
y a des societés, c'est que le bien général veut qu'il y
en ait ; s'il n'y en a point, le bien général veut qu'il n'y
en ait pas, et si quelqu'un persuadoit aux hommes de
retourner vivre dans les forets, il seroit bon qu'ils y
retournassent vivre. On ne doit pas appliquer à la nature
des choses une idée de bien ou de mal qu'on ne tire que
de leurs raports, car elles peuvent être bonnes relative-
ment au tout, quoique mauvaises en elles mêmes. Ce
qui concourt au bien général peut être un mal particulier dont il est permis de se délivrer quand il est possible.
Car si ce mal, tandis qu'on le supporte est utile au tout,
le bien contraire qu'on s'efforce de lui substituer ne lui
sera pas moins utile sitôt qu'il aura lieu. Par la même
raison que tout est bien comme il est, si quelqu'un
s'efforce de changer l'état des choses, il est bon qu'il
s'efforce de les changer, et s'il est bien ou mal qu'il
reussisse, c'est ce qu'on peut apprendre de l'événement
seul et non de la raison. Rien n'empêche en cela que le
mal particulier ne soit un mal réel pour celui qui le
souffre. Il étoit bon pour le tout que nous fussions civilisés puisque nous le sommes, mais il eut certainement
été mieux pour nous de ne pas l'être. Leibniz n'eut
jamais rien tiré de son sistême qui put combattre cette
proposition, et il est clair que l'optimisme bien entendu
ne fait rien ni pour ni contre moi.

Aussi n'est-ce ni à Leibniz ni à Pope que j'ai à répondre,
mais à vous seul qui sans distinguer le mal universel
qu'ils nient, du mal particulier qu'ils ne nient pas prétendez que c'est assés qu'une chose existe pour qu'il ne

soit par permis de desirer qu'elle existât autrement.
Mais, Monsieur, si tout est bien comme il est, tout étoit
bien comme il étoit avant qu'il y eut des Gouvernemens
et des Loix ; il fut donc au moins superflu de les établir,
et Jean Jaques alors avec vôtre sistême eut eu beau
jeu contre Philopolis. Si tout est bien comme il est de la
maniére que vous l'entendez, à quoi bon corriger nos
vices, guérir nos maux, redresser nos erreurs? Que servent nos Chaires, nos Tribunaux, nos Academies? Pourquoi faire appeller un Medecin quand vous avez la fiévre? Que savez-vous si le bien du plus grand tout que
vous ne connoissez pas n'éxige point que vous ayez le
transport, et si la santé des habitans de Saturne ou de
Sirius ne souffriroient point du rétablissement de la
vôtre? Laissez aller tout comme il pourra, afin que tout
aille toujours bien. Si tout est le mieux qu'il peut être
vous devez blâmer toute action quelconque ; Car toute
action produit nécessairement quelque changement dans
l'état où sont les choses, au moment qu'elle se fait, on no
peut donc toucher à rien sans mal faire, et le quietisme
le plus parfait est la seule vertu qui reste à l'homme.
Enfin si tout est bien comme il est, il est bon qu'il y ait
des Lapons, des Esquimaux, des Algonquins, des Chica-
cas, des Caraïbes, qui se passent de nôtre police, des
Hottentots qui s'en moquent, et un Genevois qui les
approuve. Leibniz lui-même conviendroit de ceci.

L'homme, dites vous est tel que l'éxigeoit la place
qu'il devoit occuper dans l'univers. Mais les hommes
différent tellement selon les tems et les lieux qu'avec
une pareille logique on seroit sujet à tirer du particulier
à l'Universel des consequences fort contradictoires et
fort peu concluantes. Il ne faut qu'une erreur de Geo-

graphie pour bouleverser toute cette prétendue doctrine
qui déduit ce qui doit être de ce qu'on voit. C'est à faire
aux Castors, dira l'Indien, de s'enfoüir dans des taniéres,
l'homme doit dormir à l'air dans un Hamac suspendu à
des arbres. Non, non, dira le Tartare, l'homme est fait
pour coucher dans un Chariot. Pauvres gens, s'écrieront
nos Philopolis d'un air de pitié, ne voyez-vous pas que
l'homme est fait pour bâtir des villes! Quand il est question de raisonner sur la nature humaine, le vrai Philosophe n'est ni Indien, ni Tartare, ni de Genêve, ni de Paris,
mais il est homme.

Que le singe soit une Bête, je le crois, et j'en ai dit la
raison ; que l'Orang-Outang en soit une aussi, voila ce
que vous avez la bonté de m'apprendre, et j'avoüe
qu'après les faits que j'ai cités, la preuve de celui là me
sembloit difficile. Vous philosophez trop bien pour pro-
noncer là dessus aussi légerement que nos voyageurs
qui s'exposent quelquefois sans beaucoup de façons
à mettre leurs semblables au rang des bêtes. Vous obli-
gerez donc surement le public, et vous instruirez même
les naturalistes en nous apprenant les moyens que vous
avez employez pour decider cette question.

Dans mon Épître dédicatoire, j'ai felicité ma Patrie
d'avoir un des meilleurs gouvernemens qui pussent
exister : J'ai trouvé dans le Discours qu'il devoit y avoir
très peu de bons Gouvernemens : je ne vois pas où est
la contradiction que vous remarquez en cela. Mais comment savez-vous, Monsieur, que j'irois vivre dans les
bois si ma santé me le permettoit, plustôt que parmi mes
Concitoyens pour lesquels vous connoissez ma tendresse?
Loin de rien dire de semblable dans mon ouvrage,
vous y avez dû voir des raisons très fortes de ne point

choisir ce genre de vie. Je sens trop en mon particulier
combien peu je puis me passer de vivre avec des hommes
aussi corrompus que moi, et le sage même, s'il en est,
n'ira pas aujourd'hui chercher le bonheur au fond d'un
desert. Il faut fixer, quand on le peut, son séjour dans
sa Patrie pour l'aimer et la servir. Heureux celui qui,
privé de cet avantage, peut au moins vivre au sein de
l'amitié dans la Patrie commune du Genre humain, dans
cet azile immense ouvert à tous les hommes, où se plai-
sent également l'austére sagesse et la jeunesse folâtre ;
où regnent l'humanité, l'hospitalité, la douceur, et tous
les charmes d'une societé facile ; où le Pauvre trouve
encore des Amis, la vertu des éxemples qui l'animent, et
la raison des guides, qui l'éclairent. C'est sur ce grand
Théâtre de la fortune, du vice, et quelquefois des vertus,
qu'on peut observer avec fruit le spectacle de la vie ;
Mais c'est dans son païs que chacun devroit en paix
achever la sienne.

Il me semble, Monsieur, que vous me censurez bien
gravement, sur une refléxion qui me paroit très juste,
et qui, juste ou non, n'a point dans mon écrit le sens
qu'il vous plait de lui donner par l'addition d'une seule
Lettre. *Si la nature nous a destinés à être saints*, me
faites-vous dire, *j'ose presque assurer que l'état de réflexion
est un état contre nature et que l'homme qui médite est
un animal depravé.* Je vous avoüe que si j'avois ainsi
confondu la santé avec la sainteté, et que la proposition
fut vraie, je me croirois très propre à devenir un grand
saint moi même dans l'autre monde ou du moins à
me porter toujours bien dans celui-ci.

Je finis, Monsieur, en repondant à vos trois derniéres
questions. Je n'abuserai pas du tems que vous me donnez

pour y réfléchir ; c'est un soin que j'avois pris d'avance.

Un homme ou tout autre Etre sensible qui n'auroit jamais connu la douleur, auroit-il de la pitié, et seroit-il ému à la vüe d'un enfant qu'on égorgeroit ? Je réponds que non.

Pourquoi la Populace à qui M. Rousseau accorde une si grande dose de pitié se repait-elle avec tant d'avidité du spectacle d'un malheureux expirant sur la roüe ? Par la même raison que vous allez pleurer au théâtre et voir Seide égorger son Pére, ou Thyeste boire le sang de son fils. La pitié est un sentiment si délicieux qu'il n'est pas étonnant qu'on cherche à l'éprouver. D'ailleurs, chacun a une curiosité secrette d'étudier les mouvemens de la Nature aux approches de ce moment redoutable que nul ne peut éviter. Ajoûtez à cela le plaisir d'être pendant deux mois l'orateur du quartier, et de raconter pathetiquement aux voisins la belle mort du dernier roüé.

L'affection que les femelles des animaux témoignent pour leurs petits a-t-elle ces petits pour objet, ou la mère ? D'abord la mère pour son besoin, puis les petits par habitude. Je l'avois dit dans le Discours. *Si par hazard c'étoit celle-ci, le bien être des petits n'en seroit que plus assuré.* Je le croirois ainsi. Cependant cette maxime demande moins à être étendüe que resserrée car dés que les Poussins sont éclos on ne voit pas que la Poule ait aucun besoin d'eux, et sa tendresse maternelle ne le céde pourtant à nulle autre.

Voila, Monsieur, mes réponses. Remarquez au reste que dans cette affaire comme dans celle du premier discours, je suis toujours le monstre qui soutient que l'homme est naturellement bon, et que mes adversaires sont toujours les honnêtes gens qui, à l'édification publique, s'efforcent de prouver que la nature n'a fait que des scelerats.

Je suis, autant qu'on peut l'être de quelqu'un qu'on ne connoît point. Monsieur, etc.

RÉPONSE A UN NATURALISTE

Je ne sais ce qu'il en est de cette ressemblance, et je ne sais pas non plus pourquoi l'homme faute de fruits ne brouteroit pas l'herbe, les bourgeons, et ne se serviroit pas de ses mains ou de ses griffes pour déterrer des racines, comme ont fait souvent même plusieurs des nôtres dans des lieux deserts [où ils [ont] vivoient de racines pendant très longtemps]. De plus, on me cite toujours les longs hivers et l'on ne veut pas faire attention que pour plus de la moitié de la terre, il n'y a presque point d'hiver, que les arbres ne se dépouillent point et qu'il y a des fruits toute l'année. Les raisons qu'on m'oppose sont toujours tirées de [quelque] Paris, de Londres ou de quelque autre petit coin du monde, je tâche de ne tirer les miennes que du monde même.

La difficulté qu'ont les bêtes carnacieres de trouver leur proye dans les pays défrichés et cultivés par les hommes ne seroit peut être pas la même si toute la terre étoit en friche ; il est certain que vous pouvez mettre un chat ou un loup dans telle position que le soin de sa nourriture ne lui coûtera pas vingt minutes dans les vingt quatre heures ; mais quelque supposition que

vous fassiez il faudra toujours qu'un cheval ou un bœuf
employent plusieurs heures à paitre, ainsi le desavantage
en général sera toujours pour ceux-ci. Au reste quelque
observation qu'on puisse faire sur les faits particuliers,
la preuve que tout est bien réglé se tire d'un fait général
et incontestable, c'est que toutes les especes subsistent :
mais je comprends que nous pouvons souvent nous
tromper, et moi surtout, sur le choix et l'application
des regles.

NOTES.

1. (p. 19). Hérodote raconte qu'après le meurtre du faux Smerdis, les sept libérateurs de la Perse s'étant assemblés pour délibérer sur la forme de Gouvernement qu'ils donneroient à l'État, Otanés opina fortement pour la république ; avis d'autant plus extraordinaire dans la bouche d'un Satrape, qu'outre la prétention qu'il pouvoit avoir à l'empire, les grands craignent plus que la mort une sorte de Gouvernement qui les force à respecter les hommes. Otanés, comme on peut bien le croire, ne fut point écouté, et voyant qu'on alloit procéder à l'élection d'un Monarque, lui qui ne vouloit ni obéir ni commander, ceda volontairement aux autres Concurrens son droit à la couronne, demandant pour tout dédommagement d'être libre et indépendant, lui et sa postérité, ce qui lui fut accordé. Quand Hérodote ne nous apprendroit pas la restriction qui fut mise à ce Privilége, il faudroit nécessairement la supposer ; autrement Otanés, ne reconnoissant aucune sorte de Loi et n'ayant de compte à rendre à personne, auroit été tout puissant dans l'État et plus puissant que le Roi-même. Mais il n'y avoit guéres d'apparence qu'un homme capable de se contenter en pareil cas d'un tel privilége, fût capable d'en abuser. En effet, on ne voit pas que ce droit ait jamais causé le moindre trouble dans le Royaume, ni par le sage Otanés, ni par aucun de ses descendans.

PRÉFACE

2. (p. 31). Dès mon premier pas je m'appuye avec confiance sur une de ces autorités respectables pour les Philosophes, parcequ'elles viennent d'une raison solide et sublime qu'eux seuls savent trouver et sentir.

« Quelque intérêt que nous ayons à nous connoître nous-
» mêmes, je ne sais si nous ne connoissons pas mieux tout
» ce qui n'est pas nous. Pourvûs par la Nature, d'organes
» uniquement destinés à notre conservation, nous ne les
» employons qu'à recevoir les impressions étrangères, nous
» ne cherchons qu'à nous répandre au dehors, et à exister
» hors de nous ; trop occupés à multiplier les fonctions de
» nos sens et à augmenter l'étendue extérieure de notre être,
» rarement faisons-nous usage de ce sens intérieur qui nous
» réduit à nos vrayes dimensions, et qui sépare de nous tout
» ce qui n'en est pas. C'est cependant de ce sens dont il faut
» nous servir, si nous voulons nous connoître ; c'est le seul
» par lequel nous puissions nous juger ; Mais comment donner
» à ce sens son activité et toute son étendue ? Comment dé-
» gager notre Ame, dans laquelle il réside, de toutes les illu-
» sions de notre Esprit ? Nous avons perdu l'habitude de
» l'employer, elle est demeurée sans exercice au milieu du
» tumulte de nos sensations corporelles, elle s'est dessechée
» par le feu de nos passions ; le cœur, l'Esprit, le sens, tout
» a travaillé contre elle. Hist. Nat. T. 4 page 151. de la Nat.
» de l'homme.

PREMIÈRE PARTIE

3. (p. 47). Les changements qu'un long usage de marcher sur deux pieds a pu produire dans la conformation de l'homme, les rapports qu'on observe encore entre ses bras et les Jambes antérieures des Quadrupèdes, et l'induction tirée de leur

maniére de marcher, ont pu faire naître des doutes sur celle qui devoit nous être la plus naturelle. Tous les enfans commencent par marcher à quatre pieds et ont besoin de notre exemple et de nos leçons pour apprendre à se tenir debout. Il y a même des Nations Sauvages, telles que les Hottentots qui, négligeant beaucoup les Enfans, les laissent marcher sur les mains si longtems qu'ils ont ensuite bien de la peine à les redresser ; autant en font les enfans des Caraïbes des Antilles. Il y a divers exemples d'hommes Quadrupédes, et je pourrois entre autres citer celui de cet Enfant qui fut trouvé en 1344. auprès de Hesse où il avoit été nourri par des Loups, et qui disoit depuis à la Cour du Prince Henri, que s'il n'eût tenu qu'à lui, il eût mieux aimé retourner avec eux que de vivre parmi les hommes. Il avoit tellement pris l'habitude de marcher comme ces animaux, qu'il falut lui attacher des Piéces de bois qui le forçoient à se tenir debout et en équilibre sur ses deux pieds. Il en étoit de même de l'enfant qu'on trouva en 1694. dans les forêts de Lithuanie et qui vivoit parmi les Ours. Il ne donnoit, dit Mr. de Condillac, aucune marque de raison, marchoit sur ses pieds et sur ses mains, n'avoit aucun langage et formoit des sons qui ne ressembloient en rien à ceux d'un homme. Le petit Sauvage d'Hanovre qu'on mena il y a plusieurs années à la Cour d'Angleterre, avoit toutes les peines du monde à s'assujetir à marcher sur deux pieds, et l'on trouva en 1719. deux autres Sauvages dans les Pyrenées, qui couroient par les montagnes à la maniére des quadrupédes. Quant à ce qu'on pourroit objecter que c'est se priver de l'usage des mains dont nous tirons tant d'avantages ; outre que l'exemple des singes montre que la main peut fort bien être employée des deux maniéres, cela prouveroit que l'homme peut donner à ses membres une destination plus commode que celle de la Nature, et non que la Nature a destiné l'homme à marcher autrement qu'elle ne lui enseigne.

Mais il y a, ce me semble, de beaucoup meilleures raisons à

dire pour soutenir que l'homme est un bipéde. Premiérement
quand on feroit voir qu'il a pu d'abord être conformé autrement que nous ne le voyons et cependant devenir enfin ce
qu'il est, ce n'en seroit pas assés pour conclurre que cela se
soit fait ainsi : Car après avoir montré la possibilité de ces
changemens, il faudroit encore, avant que de les admettre,
en montrer au moins la vraisemblance. De plus, si les bras de
l'homme paroissent avoir pu lui servir de Jambes au besoin,
c'est la seule observation favorable à ce système, sur un
grand nombre d'autres qui lui sont contraires. Les principales
sont ; que la maniére dont la tête de l'homme est attachée
à son corps, au lieu de diriger sa vûe horizontalement, comme
l'ont tous les autres animaux, et comme il l'a lui-même
en marchant debout, lui eût tenu, marchant à quatre pieds,
les yeux directement fichés vers la terre, situation très peu
favorable à la conservation de l'individu ; que la queue qui
lui manque et dont il n'a que faire marchant à deux pieds,
est utile aux quadrupèdes, et qu'aucun d'eux n'en est privé ;
que le sein de la femme, très-bien situé pour un bipéde qui
tient son enfant dans ses bras, l'est si mal pour un quadrupéde
que nul ne l'a placé de cette maniére ; Que le train de derriére
étant d'une excessive hauteur à proportion des jambes de
devant, ce qui fait que marchant à quatre nous nous traînons
sur les genoux, le tout eût fait un Animal mal proportionné
et marchant peu commodément ; Que s'il eût posé le pied à
plat ainsi que la main, il auroit eu dans la jambe postérieure
une articulation de moins que les autres animaux, savoir
celle qui joint le Canon au Tibia ; et qu'en ne posant que la
pointe du pied, comme il auroit sans doute été contraint de
faire, le tarse, sans parler de la pluralité des os qui le composent, paroît trop gros pour tenir lieu de canon, et ses Arti-
culations avec le Métatarse et le Tibia trop rapprochées
pour donner à la jambe humaine dans cette situation la même
flexibilité qu'ont celles des quadrupèdes. L'exemple des
Enfans étant pris dans un âge où les forces naturelles ne sont

point encore développées ni les membres raffermis, ne conclud rien du tout, et j'aimerois autant dire que les chiens ne sont pas destinés à marcher, parcequ'ils ne font que ramper quelques semaines après leur naissance. Les faits particuliers ont encore peu de force contre la pratique universelle de tous les hommes, même des Nations qui n'ayant eu aucune communication avec les autres, n'avoient pû rien imiter d'elles. Un Enfant abandonné dans une forêt avant que de pouvoir marcher, et nourri par quelque bête, aura suivi l'exemple de sa Nourrice en s'exerçant à marcher comme elle ; l'habitude lui aura pû donner des facilités qu'il ne tenoit point de la Nature ; et comme des Manchots parviennent à force d'exercice à faire avec leurs pieds tout ce que nous faisons de nos mains, il sera parvenu enfin à employer ses mains à l'usage des pieds.

4. (p. 48). S'il se trouvoit parmi mes Lecteurs quelque assés mauvais Physicien pour me faire des difficultés sur la supposition de cette fertilité naturelle de la terre, je vais lui répondre par le passage suivant.

« Comme les végétaux tirent pour leur nourriture beaucoup
» plus de substance de l'air et de l'eau qu'ils n'en tirent de
» la terre, il arrive qu'en pourrissant ils rendent à la terre
» plus qu'ils n'en ont tiré ; d'ailleurs une forêt détermine
» les eaux de la pluye en arrêtant les vapeurs. Ainsi dans un
» bois que l'on conserveroit bien longtems sans y toucher,
» la couche de terre qui sert à la végétation augmenteroit
» considérablement ; mais les Animaux rendant moins à la
» terre qu'ils n'en tirent, et les hommes faisant des consom-
» mations énormes de bois et de plantes pour le feu et pour
» d'autres usages, il s'ensuit que la couche de terre végétale
» d'un pays habité doit toûjours diminuer et devenir enfin
» comme le terrain de l'Arabie Pétrée, et comme celui de
» tant d'autres provinces de l'Orient, qui est en effet le
» Climat le plus anciennement habité, où l'on ne trouve que

» du sel et des Sables ; Car le Sel fixe des Plantes et des Ani-
» maux reste, tandis que toutes les autres parties se volatili-
» sent. Mr. de Buffon, Hist. Nat.

On peut ajouter à cela la preuve de fait par la quantité
d'arbres et de plantes de toute espéce, dont étoient remplies
presque toutes les Isles désertes qui ont été découvertes
dans ces derniers siécles, et par ce que l'histoire nous apprend
des forêts immenses qu'il a fallu abbatre par toute la terre
à mesure qu'elle s'est peuplée ou policée. Sur quoi je ferai
encore les trois remarques suivantes. L'une que s'il y a une
sorte de végétaux qui puissent compenser la déperdition de
matière végétale qui se fait par les animaux, selon le raisonnement de Mr. de Buffon, ce sont surtout les bois, dont les
têtes et les feuilles rassemblent et s'approprient plus d'eaux
et de vapeurs que ne font les autres plantes. La seconde,
que la destruction du sol, c'est-à-dire, la perte de la substance
propre à la végétation, doit s'accélerer à proportion que la
terre est plus cultivée, et que les habitans plus industrieux
consomment en plus grande abondance ses productions de
toute espèce. Ma troisieme et plus importante remarque est
que les fruits des Arbres fournissent à l'animal une nourriture
plus abondante que ne peuvent faire les autres végétaux,
expérience que j'ay faite moi-même, en comparant les pro-
duits de deux terrains égaux en grandeur et en qualité, l'un
couvert de chataigners et l'autre semé de bled.

5. (p. 48). Parmi les Quadrupédes, les deux distinctions
les plus universelles des espéces voraces se tirent, l'une de la
figure des Dents, et l'autre de la conformation des Intestins.
Les Animaux qui ne vivent que de végétaux ont tous les
dents plates, comme le Cheval, le Bœuf, le Mouton, le Liévre ;
Mais les Voraces les ont pointues, comme le Chat, le Chien,
le Loup, le Renard. Et quant aux Intestins, les Frugivores
en ont quelques uns, tels que le Colon, qui ne se trouvent pas
dans les Animaux voraces. Il semble dont que l'Homme,

ayant les Dents et les Intestins comme les ont les Animaux
Frugivores, devroit naturellement être rangé dans cette
Classe, et non seulement les observations anatomiques confirment cette opinion : mais les monuments de l'Antiquité y
sont encore très favorables. « Dicearque », dit St. Jerôme
« rapporte dans ses Livres des Antiquités grecques, que sous
» le régne de Saturne, où la Terre étoit encore fertile par elle-
» même, nul homme ne mangeoit de Chair, mais que tous
» vivoient des Fruits et des Légumes qui croissoient naturel-
» lement. (Lib. 2. Adv. Jovinian.)* On peut voir par là que
je néglige bien des avantages que je pourrois faire valoir.
Car la proye étant presque l'unique sujet de combat entre
les Animaux Carnaciers, et les Frugivores vivant entre eux
dans une paix continuelle, si l'espèce humaine étoit de ce
dernier genre, il est clair qu'elle auroit eu beaucoup plus de
facilité à subsister dans l'Etat de Nature, beaucoup moins
de besoin et d'occasions d'en sortir.

6. (p. 49). Toutes les Connoissances qui demandent de
la réflexion, toutes celles qui ne s'acquièrent que par l'enchaînement des idées et ne se perfectionnent que successivement, semblent être tout-à-fait hors de la portée de l'homme Sauvage, faute de communication avec ses semblables,
c'est-à-dire, faute de l'instrument qui sert à cette communication, et des besoins qui la rendent nécessaire. Son savoir et
son industrie se bornent à sauter, courir, se battre, lancer une
pierre, escalader un arbre. Mais s'il ne sait que ces choses, en
revanche il les sait beaucoup mieux que nous qui n'en avons
pas le même besoin que lui ; et comme elles dépendent uniquement de l'exercice du Corps et ne sont susceptibles d'au-

---

* Cette opinion se peut encore appuyer sur les relations de plusieurs
Voyageurs modernes ; François Corréal témoigne entr'autres que la
plupart des habitans des Lucayes que les Espagnols transporterent
aux Isles de Cuba, de St. Domingue et ailleurs, moururent pour avoir
mangé de la chair. (Ed. 1782.)

cune Communication ni d'aucun progrès d'un individu à
l'autre, le premier homme a pu y être tout aussi habile que
ses derniers descendans.

Les relations des voyageurs sont pleines d'exemples de la
force et de la vigueur des hommes chez les Nations barbares
et Sauvages ; elles ne vantent guéres moins leur adresse et
leur légéreté ; et comme il ne faut que des yeux pour observer ces choses, rien n'empêche qu'on n'ajoute foi à ce que
certifient là-dessus des témoins oculaires, j'en tire au hazard
quelques exemples des premiers livres qui me tombent sous
la main.

« Les Hottentots, dit Kolben, entendent mieux la pêche
» que les Européens du Cap. Leur habileté est égale au filet,
» à l'hameçon et au dard, dans les anses comme dans les
» riviéres. Ils ne prennent pas moins habilement le poisson
» avec la main. Ils sont d'une adresse incomparable à la nage.
» Leur maniére de nager a quelque chose de surprenant et
» qui leur est tout à fait propre. Ils nagent le corps droit et
» les mains étendues hors de l'eau, de sorte qu'ils paroissent
» marcher sur la terre. Dans la plus grande agitation de la
» mer et lorsque les flots forment autant de montagnes, ils
» dansent en quelque sorte sur le dos des vagues, montant et
» descendant comme un morceau de liége.

« Les Hottentots », dit encore le même Auteur, « sont d'une
» adresse surprenante à la chasse, et la légéreté de leur course
» passe l'imagination ». Il s'étonne qu'ils ne fassent pas plus
souvent un mauvais usage de leur agilité, ce qui leur arrive
pourtant quelquefois, comme on peut juger par l'exemple
qu'il en donne. « Un matelot Hollandois en débarquant au
» Cap chargea, dit-il, un Hottentot de le suivre à la Ville avec
» un rouleau de tabac d'environ vingt livres. Lorsqu'ils
» furent tous deux à quelque distance de la Troupe, le Hot-
» tentot demanda au Matelot s'il savoit courrir ? Courrir !
» répond le Hollandois, oui, fort bien. Voyons, reprit l'Affri-
» quain, et fuyant avec le tabac il disparut presque aussitôt.

» Le Matelot confondu de cette merveilleuse vitesse ne pensa
» point à le poursuivre et ne revit jamais ni son tabac ni son
» porteur.

» Ils ont la vüe si prompte et la main si certaine que les
» Européens n'en approchent point. A cent pas, ils touche-
» ront d'un coup de pierre une marque de la grandeur d'un
» demi sol et ce qu'il y a de plus étonnant, c'est qu'au lieu
» de fixer comme nous les yeux sur le but, ils font des mou-
» vements et des contorsions continuelles. Il semble que leur
» pierre soit portée par une main invisible.

Le P. du Tertre dit à peu près sur les Sauvages des Antilles
les mêmes choses qu'on vient de lire sur les Hottentots du
cap de Bonne Esperance. Il vante surtout leur justesse à
tirer avec leurs fléches les oiseaux au vol et les poissons à la
nage, qu'ils prennent ensuite en plongeant. Les Sauvages
de l'Amérique Septentrionale ne sont pas moins célebres par
leur force et leur adresse : et voici un exemple qui pourra
faire juger de celles des Indiens de l'Amérique Meridionale.

En l'année 1746. un Indien de Buenos Aires ayant été
condamné aux Galéres à Cadix, proposa au Gouverneur de
racheter sa liberté en exposant sa vie dans une fête publique.
Il promit qu'il attaqueroit seul le plus furieux Taureau sans
autre arme en main qu'une corde, qu'il le terrasseroit, qu'il
le saisiroit avec sa corde par telle partie qu'on indiqueroit,
qu'il le selleroit, le brideroit, le monteroit, et combattroit
ainsi monté, deux autres Taureaux des plus furieux qu'on
feroit sortir du Torillo, et qu'il les mettroit tous à mort l'un
après l'autre, dans l'instant qu'on le lui commanderoit et
sans le secours de personne ; ce qui lui fut accordé. L'Indien
tint parole et réussit dans tout ce qu'il avoit promis ; sur la
maniére dont il s'y prit et sur tout le détail du combat,
on peut consulter le premier Tome in 12. des Observations,
sur l'Histoire Naturelle de Mr. Gautier, d'où ce fait est tiré,
page 262.

7. (p. 52). « La durée de la vie des Chevaux », dit Mr. de
Buffon, « est comme dans toutes les autres espèces d'animaux
» proportionnée à la durée du tems de leur accroissement.
» L'homme, qui est quatorze ans à croître peut vivre six ou
» sept fois autant de tems, c'est-à-dire, quatre-vingt-dix ou
» cent ans : Le Cheval, dont l'accroissement se fait en quatre
» ans, peut vivre six ou sept fois autant, c'est-à-dire, vingt-
» cinq ou trente ans. Les exemples qui pourroient être
» contraires à cette régle sont si rares, qu'on ne doit pas même
» les regarder comme une exception dont on puisse tirer des
» conséquences; et comme les gros chevaux prennent leur ac-
» croissement en moins de tems que les chevaux fins, ils
» vivent aussi moins de tems et sont vieux dès l'âge de quinze
» ans ».

8. (p. 52). Je crois voir entre les animaux carnaciers et
les frugivores une autre différence encore plus générale que
celle que j'ai remarquée dans la Note 5, puisque celle-ci s'é-
tend jusqu'aux oiseaux. Cette différence consiste dans le
nombre des petits, qui n'excede jamais deux à chaque portée, pour les espèces qui ne vivent que de végétaux, et qui
va ordinairement au-delà de ce nombre pour les animaux
voraces. Il est aisé de connoître à cet égard la destination
de la Nature par le nombre des mammelles, qui n'est que de
deux dans chaque femelle de la premiére espèce, comme la
Jument, la Vache, la Chevre, la Biche, la Brebis, etc. et qui
est toujours de six ou de huit dans les autres Femelles, comme
la Chienne, la Chate, la Louve, la Tigresse, etc. La Poule,
l'Oye, la Canne, qui sont toutes des Oiseaux voraces ainsi que
l'Aigle, l'Épervier, la Chouette pondent aussi et couvent un
grand nombre d'œufs, ce qui n'arrive jamais à la Colombe, à
la Tourterelle ni aux Oiseaux, qui ne mangent absolument
que du grain, lesquels ne pondent et ne couvent guéres que
deux œufs à la fois. La raison qu'on peut donner de cette
différence est que les animaux qui ne vivent que d'herbes et

de plantes, demeurant presque tout le jour à la pâture et étant forcés d'employer beaucoup de tems à se nourrir, ne pourroient suffire à alaiter plusieurs petits, au lieu que les voraces faisant leur repas presque en un instant peuvent plus aisément et plus souvent retourner à leurs petits et à leur chasse, et reparer la dissipation d'une si grande quantité de Lait. Il y auroit à tout ceci bien des observations particuliéres et des reflexions à faire ; mais ce n'en est pas ici le lieu, et il me suffit d'avoir montré dans cette partie le Systême le plus général de la Nature. Système qui fournit une nouvelle raison de tirer l'homme de la Classe des animaux carnaciers et de le ranger parmi les espèces frugivores.

9. (p. 58). Un Auteur célèbre calculant les biens et les maux de la vie humaine et comparant les deux sommes, a trouvé que la derniére surpassoit l'autre de beaucoup, et qu'à tout prendre la vie étoit pour l'homme un assés mauvais présent. Je ne suis point surpris de sa conclusion ; il a tiré tous ses raisonnemens de la constitution de l'homme Civil : s'il fût remonté jusqu'à l'homme Naturel, on peut juger qu'il eût trouvé des resultats très différens, qu'il eût apperçû que l'homme n'a guéres de maux que ceux qu'il s'est donnés lui-même, et que la Nature eût été justifiée. Ce n'est pas sans peine que nous sommes parvenus à nous rendre si malheureux. Quand d'un côté l'on considère les immenses travaux les hommes, tant de Sciences approfondies, tant d'arts inventés ; tant de forces employées ; des abimes comblés des montagnes rasées, des rochers brisés, des fleuves rendus navigables, des terres défrichées, des lacs creusés, des marais desséchés, des batimens énormes élevés sur la terre, la mer couverte de Vaisseaux et de Matelots ; et que de l'autre on recherche avec un peu de meditation les vrais avantages qui ont resulté de tout cela pour le bonheur de l'espèce humaine ; on ne peut qu'être frappé de l'étonnante disproportion qui régne entre ces choses, et déplorer l'aveuglement de l'homme

qui, pour nourrir son fol orgueil et je ne sais quelle vaine admiration de lui-même, le fait courir avec ardeur après toutes
les misères dont il est susceptible, et que la bienfaisante
Nature avoit pris soin d'écarter de lui.

Les hommes sont méchans ; une triste et continuelle expérience dispense de la preuve ; cependant l'homme est naturellement bon, je crois l'avoir demontré ; qu'est-ce donc qui
peut l'avoir dépravé à ce point sinon les changemens survenus dans sa constitution, les progrès qu'il a faits, et les
connoissances qu'il a acquises ? Qu'on admire tant qu'on
voudra la Société humaine, il n'en sera pas moins vrai qu'elle
porte nécessairement les hommes à s'entrehaïr à proportion
que leurs intérêts se croisent, à se rendre mutuellement des
services apparens et à se faire en effet tous les maux imagi-
nables. Que peut on penser d'un commerce où la raison de
chaque particulier lui dicte des maximes directement
contraires à celles que la raison publique prêche au corps de la
Société, et où chacun trouve son compte dans le malheur d'autrui ? Il n'y a peut-être pas un homme aisé à qui des héri-
tiers avides et souvent ses propres enfans ne souhaitent la
mort en secret ; pas un Vaisseau en Mer dont le naufrage ne
fût une bonne nouvelle pour quelque Négociant ; pas une
maison qu'un débiteur de mauvaise foi ne voulût voir bru-
ler avec tous les papiers qu'elle contient ; pas un Peuple qui
ne se réjouisse des désastres de ses voisins. C'est ainsi que
nous trouvons notre avantage dans le préjudice de nos semblables, et que la perte de l'un fait presque toujours la prospérité de l'autre : mais ce qu'il y a de plus dangereux encore,
c'est que les calamités publiques font l'attente et l'espoir
d'une multitude de particuliers. Les uns veulent des maladies,
d'autres la mortalité, d'autres la guerre, d'autres la famine ;
j'ai vû des hommes affreux pleurer de douleur aux apparences
d'une année fertile, et le grand et funeste incendie de Londres qui coûta la vie ou les biens à tant de malheureux, fit
peut-être la fortune à plus de dix mille personnes. Je sais

que Montagne blâme l'Athénien Démades d'avoir fait punir
un Ouvrier qui vendant fort cher des cercueils gagnoit beaucoup à la mort des Citoyens : Mais la raison que Montagne
allégue étant qu'il faudroit punir tout le monde, il est évident qu'elle confirme les miennes. Qu'on pénétre donc au
travers de nos frivoles démonstrations de bienveillance ce
qui se passe au fond des cœurs, et qu'on refléchisse à ce que
doit être un état de choses où tous les hommes sont forcés
de se caresser et de se détruire mutuellement, et où ils naissent ennemis par devoir et fourbes par intérêt. Si l'on me
répond que la Société est tellement constituée que chaque
homme gagne à servir les autres ; je répliquerai que cela seroit fort bien s'il ne gagnoit encore plus à leur nuire. Il n'y
a point de profit si légitime qui ne soit surpassé par celui
qu'on peut faire illégitimement, et le tort fait au prochain
est toujours plus lucratif que les services. Il ne s'agit donc
plus que de trouver les moyens de s'assurer l'impunité, et
c'est à quoi les puissans employent toutes leurs forces, et
les foibles toutes leurs ruses.

L'homme Sauvage, quand il a diné, est en paix avec toute
la Nature, et l'ami de tous ses semblables. S'agit-il quelquefois de disputer son repas ? Il n'en vient jamais aux coups
sans avoir auparavant comparé la difficulté de vaincre avec
celle de trouver ailleurs sa subsistance ; et comme l'orgueil
ne se mêle pas du combat, il se termine par quelques coups
de poing ; Le vainqueur mange, le vaincu va chercher fortune, et tout est pacifié : mais chez l'homme en Société, ce
sont bien d'autres affaires ; il s'agit premièrement de pourvoir au nécessaire, et puis au superflu ; ensuite viennent les
délices, et puis les immenses richesses, et puis des sujets, et
puis des Esclaves ; il n'a pas un moment de relâche ; ce qu'il
y a de plus singulier, c'est que moins les besoins sont naturels et pressans, plus les passions augmentent, et, qui pis
est, le pouvoir de les satisfaire ; de sorte qu'après de longues
prospérités, après avoir englouti bien des trésors et desolé

bien des hommmes, mon Héros finira par tout égorger jusqu'à ce qu'il soit l'unique maître de l'Univers. Tel est en
abregé le tableau moral, sinon de la vie humaine, au moins
des prétentions secrettes du cœur de tout homme Civilisé.

Comparez sans préjugés l'état de l'homme Civil avec celui
de l'homme Sauvage, et recherchez, si vous le pouvez, combien, outre sa méchanceté, ses besoins et ses misères, le premier a ouvert de nouvelles portes à la douleur et à la mort.
Si vous considérez les peines d'esprit qui nous consument,
les passions violentes qui nous épuisent et nous désolent, les
travaux excessifs dont les pauvres sont surchargés, la molesse
encore plus dangereuse à laquelle les riches s'abandonnent,
et qui font mourir les uns de leurs besoins et les autres
de leurs excés. Si vous songez aux monstrueux mélanges
des alimens, à leurs pernicieux assaisonnemens, aux denrées corrompues, aux drogues falsifiées, aux friponneries
de ceux qui les vendent, aux erreurs de ceux qui les
administrent, au poison des Vaisseaux dans lesquels on les
prépare ; si vous faites attention aux maladies épidemiques
engendrées par le mauvais air parmi des multitudes d'hommes rassemblés, à celles qu'occasionnent la délicatesse de
notre manière de vivre, les passages alternatifs de l'intérieur
de nos maisons au grand air, l'usage des habillemens pris
ou quittés avec trop peu de précaution, et tous les soins que
notre sensualité excessive a tournés en habitudes nécessaires
et dont la négligence ou la privation nous coûte ensuite la
vie ou la santé ; Si vous mettez en ligne de compte les incen-
dies et les tremblemens de terre qui consumant ou renver-
sant des Villes entiéres, en font périr les habitans par milliers ;
en un mot, si vous réunissez les dangers que toutes ces causes assemblent continuellement sur nos têtes, vous sentirez
combien la Nature nous fait payer cher le mépris que nous
avons fait de ses leçons.

Je ne répéterai point ici sur la guerre ce que j'en ai dit ailleurs ; mais je voudrois que les gens instruits voulussent ou

osassent donner une fois au public le détail des horreurs qui
se commettent dans les armées par les Entrepreneurs des
vivres et des Hôpitaux, on verroit que leurs manœuvres non
trop secrettes par lesquelles les plus brillantes armées se fondent en moins de rien, font plus périr de Soldats que n'en
moissonne le fer ennemi ; C'est encore un calcul non moins
étonnant que celui des hommes que la mer engloutit tous
les ans, soit par la faim, soit par le scorbut, soit par les Py-
rates, soit par le feu, soit par les naufrages. Il est clair qu'il
faut mettre aussi sur le compte de la propriété établie et par
conséquent de la Société, les assassinats, les empoisonne-
mens, les vols de grands chemins, et les punitions même de
ces crimes, punitions nécessaires pour prevenir de plus grands
maux, mais qui, pour le meurtre d'un homme coutant la
vie à deux ou davantage, ne laissent pas de doubler réellement la perte de l'espèce humaine. Combien de moyens
honteux d'empêcher la naissance des hommes et de tromper
la Nature ? Soit par ces goûts brutaux et dépravés qui insul-
tent son plus charmant ouvrage, goûts que les Sauvages ni
les animaux ne connurent jamais, et qui ne sont nés dans les
païs policés que d'une imagination corrompue ; soit par ces
avortemens secrets, dignes fruits de la débauche et de l'honneur vicieux ; soit par l'exposition ou le meurtre d'une multitude d'enfans, victimes de la misère de leurs parens ou de
la honte barbare de leurs Méres ; soit enfin par la mutilation
de ces malheureux dont une partie de l'existence et toute
la postérité sont sacrifiées à de vaines chansons, ou ce qui
est pis encore, à la brutale jalousie de quelques hommes :
Mutilation qui dans ce dernier cas, outrage doublement la
Nature, et par le traitement que reçoivent ceux qui la souf-
frent, et par l'usage auquel ils sont destinés*.

---

* Mais n'est-il pas mille cas plus fréquens et plus dangereux encore,
où les droits paternels offensent ouvertement l'humanité ? Combien
de talens enfouis et d'inclinations forcées par l'imprudente contrainte

Que seroit-ce si j'entreprenois de montrer l'espèce humaine attaquée dans sa source même, et jusques dans le plus saint de tous les liens, où l'on n'ose plus écouter la Nature qu'après avoir consulté la fortune, et où le désordre civil confondant les vertus et les vices, la continence devient une précaution criminelle, et le refus de donner la vie à son semblable, un acte d'humanité? Mais sans déchirer le voile qui couvre tant d'horreurs, contentons-nous d'indiquer le mal auquel d'autres doivent apporter le remède.

Qu'on ajoûte à tout cela cette quantité de métiers malsains qui abrégent les jours ou détruisent le tempérament; tels que sont les travaux de mines, les diverses préparations des métaux, des mineraux, surtout du Plomb, du Cuivre, du Mercure, du Cobolt, de l'Arcenic, du Realgar; ces autres métiers perilleux qui coutent tous les jours la vie à quantité

---

des Peres! Combien d'hommes se seroient distingués dans un état sortable qui meurent malheureux et déshonorés dans un autre état pour lequel ils n'avoient aucun goût! Combien de mariages heureux mais inégaux ont été rompus ou troublés, et combien de chastes épouses déshonorées par cet ordre des conditions toujours en contradiction avec celui de la nature! Combien d'autres unions bizarres formées par l'intérêt et désavouées par l'amour et par la raison! Combien même d'époux honnêtes et vertueux font mutuellement leur supplice pour avoir été mal assortis! Combien de jeunes et malheureuses victimes de l'avarice de leurs Parens, se plongent dans le vice ou passent leurs tristes jours dans les larmes, et gémissent dans des liens indissolubles que le cœur repousse et que l'or seul a formés! Heureuses quelquefois celles que leur courage et leur vertu même arrachent à la vie, avant qu'une violence barbare les force à la passer dans le crime ou dans le désespoir. Pardonnez-le moi, Pere et Mere à jamais déplorables: j'aigris à regret vos douleurs; mais puissent-elles servir d'exemple éternel et terrible à quiconque ose, au nom même de la nature, violer le plus sacré de ses droits!

Si je n'ai parlé que de ces nœuds mal formés qui sont l'ouvrage de notre police; pense-t-on que ceux où l'amour et la sympathie ont présidé soient eux-mêmes exempts d'inconvénient? (Ed. 1782.)

d'ouvriers, les uns Couvreurs, d'autres Charpentiers, d'autres Massons, d'autres travaillant aux carrières ; qu'on réunisse, dis-je, tous ces objets, et l'on pourra voir dans l'établissement et la perfection des Sociétés les raisons de la diminution de l'espèce, observée par plus d'un Philosophe.

Le luxe, impossible à prévenir chez des hommes avides de leurs propres commodités et de la considération des autres, achève bien tôt le mal que les Sociétés ont commencé, et sous prétexte de faire vivre les pauvres qu'il n'eût pas fallu faire, il appauvrit tout le reste, et dépeuple l'Etat tôt ou tard.

Le luxe est un remède beaucoup pire que le mal qu'il prétend guérir ; ou plûtôt, il est lui-même le pire de tous les maux, dans quelque État grand ou petit que ce puisse être, et qui, pour nourrir des foules de Valets et de misérables qu'il a faits, accable et ruine le laboureur et le Citoyen : Semblable à ces vents brulans du midi qui couvrant l'herbe et la verdure d'insectes dévorans, ôtent la subsistance aux animaux utiles, et portent la disette et la mort dans tous les lieux où ils se font sentir.

De la Société et du luxe qu'elle engendre, naissent les Arts liberaux et mécaniques, le Commerce, les Lettres ; et toutes ces inutilités qui font fleurir l'industrie, enrichissent et perdent les États. La raison de ce dépérissement est très simple. Il est aisé de voir que par sa nature l'agriculture doit être le moins lucratif de tous les arts ; parce que son produit étant de l'usage le plus indispensable pour tous les hommes, le prix en doit être proportionné aux facultés des plus pauvres. Du même principe on peut tirer cette regle, qu'en général les Arts sont lucratifs en raison inverse de leur utilité, et que les plus nécessaires doivent enfin devenir les plus négligés. Par où l'on voit ce qu'il faut penser des vrais avantages de l'industrie et de l'effet réel qui resulte de ses progrès.

Telles sont les causes sensibles de toutes les misères où l'opulence précipite enfin les Nations les plus admirées. A

mesure que l'industrie et les arts s'étendent et fleurissent, le
cultivateur méprisé, chargé d'impôts nécessaires à l'entretien du Luxe, et condamné à passer sa vie entre le travail
et la faim, abandonne ses champs, pour aller chercher dans
les Villes le pain qu'il y devroit porter. Plus les capitales
frappent d'admiration les yeux stupides du Peuple ; plus il
faudroit gemir de voir les Campagnes abandonnées, les terres
en friche, et les grands chemins inondés de malheureux Citoyens devenus mandians ou voleurs, et destinés à finir un
jour leur misère sur la roüe ou sur un fumier. C'est ainsi que
l'Etat s'enrichissant d'un côté, s'affoiblit et se dépeuple de
l'autre, et que les plus puissantes Monarchies, après bien des
travaux pour se rendre opulentes et désertes, finissent par
devenir la proye des Nations pauvres qui succombent à la
funeste tentation de les envahir, et qui s'enrichissent et s'af-
foiblissent à leur tour, jusqu'à-ce qu'elles soient elles-mêmes
envahies et détruites par d'autres.

Qu'on daigne nous expliquer une fois ce qui avoit pu produire ces nuées de Barbares qui durant tant de siécles ont
inondé l'Europe, l'Asie, et l'Afrique ? Étoit-ce à l'industrie
de leurs Arts, à la Sagesse de leurs Loix, à l'excellence de
leur police, qu'ils devoient cette prodigieuse population ? Que
nos savans veuillent bien nous dire pourquoi, loin de multiplier à ce point, ces hommes feroces et brutaux, sans lumiéres,
sans frein, sans éducation, ne s'entre-égorgeoient pas tous
à chaque instant, pour se disputer leur pâture ou leur chasse ?
Qu'ils nous expliquent comment ces misérables ont eu seulement la hardiesse de regarder en face de si habiles gens que
nous étions, avec une si belle discipline militaire, de si beaux
Codes, et de si sages Loix ? Enfin, pourquoi depuis que la
Société s'est perfectionnée dans les païs du Nord et qu'on y
a tant pris de peine pour apprendre aux hommes leurs devoirs mutuels et l'art de vivre agréablement et paisiblement
ensemble, on n'en voit plus rien sortir de semblable à ces
multitudes d'hommes qu'il produisoit autrefois ? J'ai bien

peur que quelqu'un ne s'avise à la fin de me répondre que toutes ces grandes choses, savoir les Arts, les Sçiences et les Loix, ont été très Sagement inventées par les hommes, comme une peste Salutaire pour prévenir l'excessive multiplication de l'espèce, de peur que ce monde, qui nous est destiné, ne devint à la fin trop petit pour ses habitans.

Quoi donc? Faut-il détruire les Sociétés, anéantir le tien et le mien, et retourner vivre dans les forêts avec les Ours? Conséquence à la manière de mes adversaires, que j'aime autant prévenir que de leur laisser la honte de la tirer. O vous, à qui la voix céleste ne s'est point fait entendre, et qui ne reconnoissez pour vôtre espèce d'autre destination que d'achever en paix cette courte vie; vous qui pouvez laisser au milieu des Villes vos funestes acquisitions, vos esprits inquiets, vos cœurs corrompus et vos désirs effrénez; reprenez, puisqu'il dépend de vous, vôtre antique et première innocence; allez dans les bois perdre la vûe et la mémoire des crimes de vos contemporains, et ne craignez point d'avilir vôtre espèce, en renonçant à ses lumières pour renoncer à ses vices. Quant aux hommes semblables à moi dont les passions ont détruit pour toujours l'originelle simplicité, qui ne peuvent plus se nourrir d'herbe et de gland, ni se passer de Loix et de Chefs; Ceux qui furent honorez dans leur premier Pére de leçons surnaturelles; ceux qui verront dans l'intention de donner d'abord aux actions humaines une moralité qu'elles n'eussent de longtems acquise, la raison d'un precepte indifférent par lui-même et inexplicable dans tout autre Système: Ceux, en un mot, qui sont convaincus que la voix divine appella tout le Genre-humain aux lumiéres et au bonheur des celestes Intelligences; tous ceux-là tâcheront, par l'exercice des vertus qu'ils s'obligent à pratiquer en apprenant à les connoître, à meriter le prix éternel qu'ils en doivent attendre; ils respecteront les sacrés liens des Sociétés dont ils sont les membres; ils aimeront leurs semblables et les serviront de tout leur pouvoir; Ils obéiront scrupuleusement aux Loix, et aux hommes qui en sont les Auteurs et les Ministres ; Ils honoreront sur-tout les bons et sages Princes qui sauront prévenir, guérir ou pallier cette foule d'abus et de maux toujours prêts à nous accabler ; Ils animeront le zéle de ces dignes Chefs, en leur montrant sans crainte et sans flaterie la grandeur de leur tâche et la rigueur de leur devoir : Mais ils n'en mépriseront pas moins une constitution qui ne peut se maintenir qu'à l'aide de tant de gens respectables qu'on desire plus souvent qu'on ne les obtient, et de laquelle, malgré tous leurs soins, naissent toujours plus de calamités réelles que d'avantages apparens.

10. (p. 59). Parmi les hommes que nous connoissons, ou par nous mêmes, ou par les Historiens, ou par les voyageurs ; les uns sont noirs, les autres blancs, les autres rouges ; les uns portent de longs cheveux, les autres n'ont que de la laine frisée ; les uns sont presque tout velus, les autres n'ont pas même de Barbe ; il y a eu et il y a peut-être encore des Nations d'hommes d'une taille gigantesque ; et laissant à part la fable des Pygmées qui peut bien n'être qu'une éxageration, on sait que les Lappons et sur-tout les Groenlandois sont fort au-dessous de la taille moyenne de l'homme ; on prétend même qu'il y a des Peuples entiers qui ont des queües comme les quadrupédes ; Et sans ajouter une foi aveugle aux relations d'Hérodote et de Ctesias, on en peut du moins tirer cette opinion très vraisemblable, que si l'on avoit pu faire de bonnes observations dans ces tems anciens où les peuples divers suivoient des maniéres de vivre plus différentes entre elles qu'ils ne font aujourd'hui, on y auroit aussi remarqué dans la figure et l'habitude du corps, des variétés beaucoup plus frapantes. Tous ces faits dont il est aisé de fournir des preuves incontestables, ne peuvent surprendre que ceux qui sont accoutumés à ne regarder que les objets qui les environnent, et qui ignorent les puissans effets de la diversité des Climats, de l'air, des alimens, de la maniére de

vivre, des habitudes en général, et sur-tout la force étonnante des mêmes causes, quand elles agissent continuellement sur de longues suites de générations. Aujourd'hui que le commerce, les Voyages, et les conquêtes, réunissent davantage les Peuples divers, et que leurs maniéres de vivre se rapprochent sans cesse par la frequente communication, on s'aperçoit que certaines différences nationales ont diminué, et par exemple, chacun peut remarquer que les François d'aujourd'hui ne sont plus ces grands corps blancs et blonds décrits par les Historiens Latin, quoique le tems joint au mélange des Francs et des Normands, blancs et blonds eux mêmes, eût dû rétablir ce que la frequentation des Romains avoit pu ôter à l'influence du Climat, dans la constitution naturelle et le teint des habitans. Toutes ces observations sur les variétés que mille causes peuvent produire et ont produit en effet dans l'Espéce humaine, me font douter si divers animaux semblables aux hommes, pris par les voyageurs pour des Bêtes sans beaucoup d'examen, ou à cause de quelques différences qu'ils remarquoient dans la conformation extérieure, ou seulement parce que ces Animaux ne parloient pas, ne seroient point en effet de véritables hommes Sauvages, dont la race dispersée anciennement dans les bois n'avoit eu occasion de développer aucune de ses facultés virtuelles, n'avoit acquis aucun degré de perfection, et se trouvoit encore dans l'état primitif de Nature. Donnons un exemple de ce que je veux dire.

« On trouve », dit le traducteur de l'Hist. des Voyages, « dans le Royaume de Congo quantité de ces grands Ani- » maux qu'on nomme *Orangs-Outang* aux Indes Orientales » qui tiennent comme le milieu entre l'espèce humaine et » les Babouins. Battel raconte que dans les forêts de Mayom- » ba, au royaume de Loango, on voit deux sortes de Mons- » tres dont les plus grands se nomment *Pongos* et les autres » *Enjokos*. Les premiers ont une ressemblance exacte avec » l'homme ; mais ils sont beaucoup plus gros, et de fort haute

» taille. Avec un visage humain, ils ont les yeux fort enfon-
» cés. Leurs mains, leurs jouës, leurs oreilles sont sans poil,
» à l'exception des sourcils qu'ils ont fort longs. Quoiqu'ils
» ayent le reste du corps assés velu, le poil n'en est pas fort
» épais, et sa couleur est brune. Enfin, la seule partie qui
« les distingue des hommes est la jambe qu'ils ont sans mol-
» let. Ils marchent droits en se tenant de la main le poil du
» Cou ; leur retraite est dans les bois ; Ils dorment sur les
» Arbres, et s'y font une espéce de toît qui les met à couvert
» de la pluye. Leurs alimens sont des fruits ou des noix Sau-
» vages. Jamais ils ne mangent de chair. L'usage des Négres
» qui traversent les forêts, est d'y allumer des feux pendant
» la nuit. Ils remarquent que le matin à leur départ les Pon-
» gos prennent leur place autour du feu, et ne se retirent pas
» qu'il ne soit éteint : car avec beaucoup d'adresse, ils n'ont
» point assés de sens pour l'entretenir en y apportant du
» bois.

» Ils marchent quelques fois en troupes et tuent les Négres
» qui traversent les forêts. Ils tombent même sur les éle-
» phans qui viennent paître dans les lieux qu'il habitent, et
» les incommodent si fort à coups de poings ou de bâtons qu'ils
» les forcent à prendre la fuite en poussant des cris. On ne
» prend jamais de Pongos en vie ; parce qu'ils sont si robustes
» que dix hommes ne suffiroient pas pour les arrêter : Mais
» les Négres en prennent quantité de Jeunes après avoir
» tué la Mére, au Corps de laquelle le petit s'attache forte-
» ment : lorsqu'un de ces Animaux meurt, les autres couvrent
» son corps d'un Amas de branches ou de feuillages. Pur-
» chass ajoute que dans les conversations qu'il avoit eues
» avec Battel, il avoit appris de lui-même qu'un Pongo lui
» enleva un petit Négre qui passa un mois entier dans la So-
» ciété de ces Animaux ; Car ils ne font aucun mal aux hom-
» mes qu'ils surprennent, du moins lorsque ceux-ci ne les
» regardent point, comme le petit Négre l'avoit observé.
» Battel n'a point décrit la seconde espèce de monstre.

» Dapper confirme que le Royaume de Congo est plein de
» ces animaux qui portent aux Indes le nom d'Orang-Ou-
» tang, c'est-à-dire, habitans des bois, et que les Afriquains
» nomment Quojas-Morros. Cette Bête, dit-il, est si sembla-
» ble à l'homme, qu'il est tombé dans l'esprit à quelques voya-
» geurs qu'elle pouvoit être sortie d'une femme et d'un singe :
» chimére que les Négres mêmes rejettent. Un de ces animaux
» fut transporté de Congo en Hollande et présenté au Prince
» d'Orange Frederic Henri. Il étoit de la hauteur d'un En-
» fant de trois Ans et d'un embonpoint médiocre, mais quar-
» ré et bien proportionné, fort agile et fort vif ; les jambes
» charnües et robustes, tout le devant du corps nud, mais
» le derriére couvert de poils noirs. A la premiere vue, son
» visage ressembloit à celui d'un homme, mais il avoit le nés
» plat et recourbé ; ses oreilles étoient aussi celles de l'Espéce
» humaine ; son sein, car c'étoit une femelle, étoit potelé,
» son nombril enfoncé, ses épaules fort bien jointes, ses mains
» divisées en doigts et en pouces, ses mollets et ses ta-
» lons gras et charnus. Il marchoit souvent droit sur ses
» jambes, il étoit capable de lever et porter des fardeaux
» assés lourds. Lorsqu'il vouloit boire, il prenoit d'une main
» le couvercle du pot, et tenoit le fond, de l'autre. Ensuite,
» il s'essuyoit gracieusement les lévres. Il se couchoit pour
» dormir, la tête sur un Coussin, se couvrant avec tant
» d'adresse qu'on l'auroit pris pour un homme au lit. Les
» Négres font d'étranges recits de cet animal. Ils assurent non
» seulement qu'il force les femmes et les filles, mais qu'il ose
» attaquer des hommes armés ; En un mot, il y a beaucoup
» d'apparence que c'est le Satyre des Anciens. Merolla ne
» parle peut-être que de ces Animaux, lorsqu'il raconte que
» les Négres prennent quelquefois dans leurs chasses des
» hommes et des femmes Sauvages. »

Il est encore parlé de ces espéces d'animaux Antropoformes
dans le troisiéme tome de la même Histoire des Voyages sous
le nom de *Beggos* et de *Mandrills* ; mais pour nous en tenir

aux relations précedentes on trouve dans la description de ces
prétendus monstres des conformités frappantes avec l'espéce humaine, et des différences moindres que celles qu'on
pourroit assigner d'homme à homme. On ne voit point dans
ces passages les raisons sur lesquelles les Auteurs se fondent
pour refuser aux Animaux en question le nom d'hommes
Sauvages, mais il est aisé de conjecturer que c'est à cause
de leur stupidité, et aussi parce qu'ils ne parloient pas ; raisons foibles pour ceux qui savent que quoique l'organe de
la parole soit naturel à l'homme, la parole elle même ne lui
est pourtant pas naturelle, et qui connoissent jusqu'à quel
point sa perfectibilité peut avoir élevé l'homme Civil au-
dessus de son état originel. Le petit nombre de lignes que
contiennent ces descriptions nous peut faire juger combien
ces Animaux ont été mal observés et avec quels préjugés ils
ont été vus. Par exemple, ils sont qualifiés de monstres, et
cependant on convient qu'ils engendrent. Dans un endroit
Battel dit que les Pongos tuent les Négres qui traversent les
forêts, dans un autre Purchass ajoûte qu'ils ne leur font aucun
mal, même quand ils les surprennent ; du moins lorsque les
Négres ne s'attachent pas à les regarder. Les Pongos s'assemblent autour des feux allumés par les Négres, quand ceux-
ci se retirent, et se retirent à leur tour quand le feu est éteint ;
voilà le fait, voici maintenant le commentaire de l'observa-
teur ; *Car avec beaucoup d'adresse, ils n'ont pas assés de sens
pour l'entretenir en y apportant du bois.* Je voudrois deviner
comment Battel ou Purchass son compilateur a pû savoir
que la retraite des Pongos étoit un effet de leur bétise plûtôt
que de leur volonté. Dans un climat tel que Loango, le feu
n'est pas une chose fort nécessaire aux Animaux, et si les
Négres en allument, c'est moins contre le froid que pour effra-
yer les bêtes feroces ; il est donc très simple qu'après avoir
été quelque tems réjouis par la flamme ou s'être bien ré-
chauffés, les Pongos s'ennuyent de rester toujours à la même
place, et s'en aillent à leur pâture, qui demande plus de tems

que s'ils mangeoient de la chair. D'ailleurs, on sait que la
plûpart des Animaux, sans en excepter l'homme, sont
naturellement paresseux, et qu'ils se refusent à toutes sortes de soins qui ne sont pas d'une absolue nécessité. Enfin
il paroît fort étrange que les Pongos dont on vante l'adresse
et la force, les Pongos qui savent enterrer leurs morts et se
faire des toits de branchages, ne sachent pas pousser des
tisons dans le feu. Je me souviens d'avoir vû un singe faire
cette même manœuvre qu'on ne veut pas que les Pongos
puissent faire ; il est vrai que mes idées n'étant pas alors
tournées de ce côté, je fis moi-même la faute que je reproche
à nos voyageurs, je négligeai d'examiner si l'intention du
singe étoit en effet d'entretenir le feu, ou simplement, comme
je crois, d'imiter l'action d'un homme. Quoiqu'il en soit, il
est bien démontré que le Singe n'est pas une variété de l'homme ; non-seulement parce qu'il est privé de la faculté de parler, mais surtout parcequ'on est sur que son espéce n'a
point celle de se perfectionner qui est le caractère spécifique de
l'espèce humaine. Experiences qui ne paroissent pas avoir
été faites sur le Pongos et l'Orang-Outang avec assez de
soin pour en pouvoir tirer la même conclusion. Il y auroit
pourtant un moyen par lequel, si l'Orang-Outang ou d'autres étoient de l'espéce humaine, les observateurs les plus
grossiers pourroient s'en assurer même avec demonstration ;
mais outre qu'une seule génération ne suffiroit pas pour cette
expérience, elle doit passer pour impraticable, parcequ'il
faudroit que ce qui n'est qu'une supposition fût démontré
vrai, avant que l'épreuve qui devroit constater le fait, pût
être tentée innocemment.

Les Jugements précipités, et qui ne sont point le fruit d'une
raison éclairée, sont sujets à donner dans l'excès. Nos voyageurs font sans façon des bêtes sous les noms de *Pongos*, de
Mandrills, d'*Orang-Outang*, de ces mêmes êtres dont sous
les noms de *Satyres*, *de Faunes*, de *Silvains*, les Anciens faisoient des Divinités. Peut-être après des recherches plus

exactes trouvera-t-on* que ce sont des hommes. En atten-
dant, il me paroît qu'il y a bien autant de raison de s'en rapporter là-dessus à Merolla, Religieux lettré, témoin oculaire,
et qui avec toute sa naiveté, ne laissoit pas d'être homme d'esprit, qu'au Marchand Battel, à Dapper, à Purchass, et aux
autres Compilateurs.

Quel jugement pense-t-on qu'eussent porté de pareils Observateurs sur l'enfant trouvé en 1694. dont j'ai parlé ci-
devant, qui ne donnoit aucune marque de raison, marchoit
sur ses pieds et sur ses mains, n'avoit aucun langage et formoit des sons qui ne ressembloient en rien à ceux d'un homme. Il fut longtems, continue le même Philosophe qui me
fournit ce fait, avant de pouvoir proferer quelques paroles,
encore le fit-il d'une maniére barbare. Aussi-tôt qu'il put
parler, on l'interrogea sur son premier état, mais il ne s'en
souvint non plus que nous nous souvenons de ce qui nous
est arrivé au Berceau. Si malheureusement pour lui cet enfant fût tombé dans les mains de nos voyageurs, on ne peut
douter qu'après avoir remarqué son silence et sa stupidité,
ils n'eussent pris le parti de le renvoyer dans les bois ou de
l'enfermer dans une Ménagerie ; après quoi ils en auroient
savamment parlé dans de belles rélations, comme d'une
Bête fort curieuse qui ressembloit assés à l'homme.

Depuis trois ou quatre cens ans que les habitans de l'Europe inondent les autres parties du monde et publient sans
cesse de nouveaux recueils de voyages et de rélations, je suis
persuadé que nous ne connoissons d'hommes que les seuls
Européens ; encore paroît-il aux préjugés ridicules qui ne
sont pas éteints, même parmi les Gens de Lettres, que chacun ne fait guéres sous le nom pompeux d'étude de l'homme,
que celles des hommes de son pays. Les particuliers ont beau
aller et venir, il semble que la Philosophie ne voyage point,

* que ce ne sont ni des bêtes ni des dieux, mais des hommes. (Ed.
1782.)

aussi celle de chaque Peuple est-elle peu propre pour un autre. La cause de ceci est manifeste, au moins pour les contrées éloignées : Il n'y a guéres que quatre sortes d'hommes qui fassent des voyages de long cours ; les Marins, les Marchands, les Soldats, et les Missionnaires ; Or on ne doit guéres s'attendre que les trois premiéres Classes fournissent de bons Observateurs, et quant à ceux de la quatriéme, occupés de la vocation sublime qui les appelle, quand ils ne seroient pas sujets à des préjugés d'état comme tous les autres, on doit croire qu'il ne se livreroient pas volontiers à des recherches qui paroissent de pure curiosité, et qui les détourneroient des travaux plus importans auxquels ils se destinent. D'ailleurs, pour prêcher utilement l'Évangile, il ne faut que du zèle et Dieu donne le reste ; mais pour étudier les hommes il faut des talens que Dieu ne s'engage à donner à personne, et qui ne sont pas toujours le partage des Saints. On n'ouvre pas un livre de voyages où l'on ne trouve des descriptions de caractères et de mœurs ; mais on est tout étonné d'y voir que ces gens qui ont tant décrit de choses, n'ont dit que ce que chacun savoit déjà, n'ont su apperçevoir à l'autre bout du monde que ce qu'il n'eût tenu qu'à eux de remarquer sans sortir de leur rüe, et que ces traits vrais qui distinguent les Nations, et qui frapent les yeux faits pour voir, ont presque toujours échapé aux leurs. De-là est venu ce bel adage de morale, si rebattu par la tourbe Philosophesque, que les hommes sont par tout les mêmes, qu'ayant par tout les mêmes passions et les mêmes vices, il est assés inutile de chercher à caractériser les différents Peuples ; ce qui est à peu près aussi bien raisonné que si l'on disoit qu'on ne sauroit distinguer Pierre d'avec Jaques, parce qu'ils ont tous deux un nés, une bouche et des yeux.

Ne verra-t-on jamais renaître ces tems heureux où les Peuples ne se mêloient point de Philosopher, mais où les Platons, les Thalés et les Pythagores épris d'un ardent desir de savoir, entreprenoient les plus grands voyages uniquement

pour s'instruire, et alloient au loin secouer le joug des préjugés Nationaux, apprendre à connoître les hommes par
leurs conformités et par leurs différences, et acquerir ces
connoissances universelles qui ne sont point celles d'un Siécle
ou d'un pays exclusivement, mais qui étant de tous les tems
et de tous les lieux, sont pour ainsi dire la science commune
des sages ?

On admire la magnificence de quelques curieux qui ont
fait ou fait faire à grands frais des voyages en Orient avec
des Savans et des Peintres, pour y dessiner des masures et
déchiffrer ou copier des Inscriptions ; mais j'ai peine à concevoir comment dans un Siécle où l'on se pique de belles
connoissances, il ne se trouve pas deux hommes bien unis,
riches, l'un en argent, l'autre en genie, tous deux aimant la
gloire et aspirant à l'immortalité, dont l'un sacrifie vingt
mille écus de son bien et l'autre dix ans de sa vie à un célébre
voyage autour du monde ; pour y étudier non toûjours des
pierres et des plantes, mais une fois les hommes et les mœurs,
et qui, après tant de siécles employés à mesurer et considerer la maison, s'avisent enfin d'en vouloir connoître les habitans.

Les Académiciens qui ont parcouru les parties Septentrio-
nales de l'Europe et Méridionales de l'Amérique avoient
plus pour objet de les visiter en Géometres qu'en Philosophes. Cependant, comme ils étoient à la fois l'un et l'autre,
on ne peut pas regarder comme tout à fait inconnues les ré-
gions qui ont été vues et décrites par les La Condamine et les
Maupertuis. Le Jouaillier Chardin qui a voyagé comme
Platon, n'a rien laissé à dire sur la Perse ; la Chine paraît avoir
été bien observée par les Jésuites. Kempfer donne une idée
passable du peu qu'il a vu dans le Japon. A ces rélations prés,
nous ne connoissons point les Peuples des Indes Orientales,
fréquentées uniquement par des Européens plus curieux de
remplir leurs bourses que leurs têtes. L'Afrique entiére et
ses nombreux habitans, aussi singuliers par leur caractére

que par leur couleur, sont encore à examiner ; toute la terre
est couverte de Nations dont nous ne connoissons que les
noms, et nous nous mêlons de juger le genre-humain! Supposons un Montesquieu, un Buffon, un Diderot, un Duclos,
un d'Alembert, un Condillac, ou des hommes de cette trempe
voyageant pour instruire leurs compatriotes, observant et
décrivant comme ils savent faire, la Turquie, l'Égipte, la
Barbarie, l'Empire du Maroc, la Guinée, les pays des Caffres,
l'intérieur de l'Afrique et ses côtes Orientales, les Malabares,
le Mogol, les rives du Gange, les Royaumes de Siam, de Pegu
et d'Ava, la Chine, la Tartarie, et surtout le Japon : puis dans
l'autre Hemisphére le Méxique, le Perou, le Chili, les Terres
Magellaniques, sans oublier les Patagons vrais ou faux, le
Tucuman, le Paraguai s'il étoit possible, le Brezil, enfin les
Caraïbes, la Floride et toutes les contrées Sauvages, voyage
le plus important de tous et celui qu'il faudroit faire avec
le plus de soin ; supposons que ces nouveaux Hercules, de
retour de ces courses mémorables, fissent ensuite à loisir l'Histoire naturelle Morale et Politique de ce qu'ils auroient vu,
nous verrions nous mêmes sortir un monde nouveau de dessous leur plume, et nous apprendrions ainsi à connoître le
nôtre : Je dis que quand de pareils Observateurs affirmeront
d'un tel Animal que c'est un homme, et d'un autre que c'est
une bête, il faudra les en croire ; mais ce seroit une grande
simplicité de s'en rapporter là dessus à des voyageurs grossiers, sur lesquels on seroit quelquefois tenté de faire la même
question qu'ils se mêlent de resoudre sur d'autres animaux.

11. (p. 59). Cela me paroît de la derniére évidence, et je
ne saurois concevoir d'où nos philosophes peuvent faire
naître toutes les passions qu'ils prétent à l'homme Naturel.
Excepté le seul necessaire Physique, que la Nature même
demande, tous nos autres besoins ne sont tels que par l'habitude avant laquelle ils n'étoient point des besoins, ou par
nos désirs, et l'on ne désire point ce qu'on n'est pas

en état de connoître. D'où il suit que l'homme Sauvage ne
desirant que les choses qu'il connoît et ne connoissant que
celles dont la possession est en son pouvoir ou facile à acquerir, rien ne doit être si tranquille que son ame et rien si
borné que son esprit.

12. (p. 64). Je trouve dans le Gouvernement Civil de
Locke une objection qui me paroît trop spécieuse pour qu'il
me soit permis de la dissimuler. « La fin de la société entre
» le Mâle et la femelle », dit ce philosophe, « n'étant pas sim-
» plement de procréer, mais de continuer l'espèce ; cette
» société doit durer, même après la procréation, du moins
» aussi longtems qu'il est nécessaire pour la nourriture et la
» conservation des procréés, c'est-à-dire, jusqu'à ce qu'ils
» soient capables de pourvoir eux-mêmes à leurs besoins.
» Cette régle que la sagesse infinie du créateur a établie sur
» les œuvres de ses mains, nous voyons que les créatures
» inférieures à l'homme l'observent constamment et avec
» exactitude. Dans ces animaux qui vivent d'herbe, la So-
» ciété entre le mâle et la femelle ne dure pas plus longtems
» que chaque acte de copulation, parce que les mamelles de
» la Mére étant suffisantes pour nourrir les petits jusqu'à ce
» qu'ils soient capables de paître l'herbe, le mâle se con-
» tente d'engendrer et il ne se mêle plus après cela de la
» femelle ni des petits, à la subsistance desquels il ne peut rien
» contribuer. Mais au regard des bêtes de proye, la Société
» dure plus longtems, à cause que la Mère ne pouvant pas
» bien pourvoir à la subsistance propre et nourrir en même
» tems ses petits par sa seule proye, qui est une voye de
» se nourrir et plus laborieuse et plus dangereuse que n'est
» celle de se nourrir d'herbe, l'assistance du mâle est tout
» à fait nécessaire pour le maintien de leur commune famille,
» si l'on peut user de ce terme ; laquelle jusqu'à ce qu'elle
» puisse aller chercher quelque proye ne sauroit subsister
» que par les soins du Mâle et de la Femelle. On remarque

» le même dans tous les oiseaux, si l'on excepte quelques oi-
» seaux Domestiques qui se trouvent dans des lieux où la
» continuelle abondance de nourriture exempte le mâle du
» soin de nourrir les petits ; on voit que pendant que les
» petits dans leur nid ont besoin d'alimens, le mâle et la
» femele y en portent, jusqu'à ce que ces petits-là puissent
» voler et pourvoir à leur subsistance.

» Et en cela, à mon avis, consiste la principale, si ce n'est
» la seule raison pourquoi le mâle et la femelle dans le Genre-
» humain sont obligés à une Société plus longue que n'en-
» tretiennent les autres créatures. Cette raison est que la
» femme est capable de concevoir et est pour l'ordinaire de
» rechef grosse et fait un nouvel enfant, longtems avant que
» le précédent soit hors d'état de se passer du secours de ses
» parens et puisse lui-même pourvoir à ses besoins. Ainsi un
» Père étant obligé de prendre soin de ceux qu'il a engendrés,
» et de prendre ce soin là pendant longtems, il est aussi dans
» l'obligation de continuer à vivre dans la Société conjugale
» avec la même femme de qui il les a eus, et de demeurer
» dans cette Société beaucoup plus longtems que les au-
» tres créatures, dont les petits pouvant subsister d'eux mê-
» mes, avant que le tems d'une nouvelle procréation vienne,
» le lien du mâle et de la femelle se rompt de lui-même et
» l'un et l'autre se trouvent dans une pleine liberté, jusqu'à
» ce que cette saison qui a coutume de solliciter les animaux
» à se joindre ensemble, les oblige à se choisir de nouvelles
» compagnes. Et ici l'on ne sauroit admirer assés la sagesse
» du créateur, qui ayant donné à l'homme des qualités pro-
» pres pour pourvoir à l'avenir aussi bien qu'au présent, a
» voulu et a fait en sorte que la Société de l'homme durât
» beaucoup plus longtems que celle du mâle et de la femelle
» parmi les autres créatures ; afin que par-là l'industrie de
» l'homme et de la femme fût plus excitée, et que leurs inté-
» rêts fussent mieux unis, dans la vue de faire des provisions
» pour leurs enfans et de leur laisser du bien : rien ne pou-

» vant être plus préjudiciable à des Enfans qu'une conjonc-
» tion incertaine et vague ou une dissolution facile et fre-
» quente de la Société conjugale.

Le même amour de la vérité qui m'a fait exposer sincé-
rement cette objection, m'excite à l'accompagner de quelques remarques, sinon pour la résoudre, au moins pour
l'éclaircir.

a. J'observerai d'abord que les preuves morales n'ont
pas une grande force en matiére de Physique et qu'elles servent plûtôt à rendre raison des faits existans qu'à constater
l'existence réelle de ces faits. Or tel est le genre de preuve
que Mr. Locke employe dans le passage que je viens de rapporter ; car quoiqu'il puisse être avantageux à l'espéce humaine que l'union de l'homme et de la femme soit permanente, il ne s'ensuit pas que cela ait été ainsi établi par la
Nature, autrement il faudroit dire qu'elle a aussi institué
la Société Civile, les Arts, le Commerce et tout ce qu'on prétend être utile aux hommes.

b. J'ignore où Mr. Locke a trouvé qu'entre les animaux
de proye la Société du Mâle et de la Femelle dure plus longtems que parmi ceux qui vivent d'herbe, et que l'un aide à
l'autre à nourrir les petits : Car on ne voit pas que le Chien,
le Chat, l'Ours, ni le Loup reconnoissent leur femelle mieux
que le Cheval, le Belier, le Taureau, le Cerf ni tous les autres
animaux Quadrupédes ne reconnoissent la leur. Il semble
au contraire que si le secours du mâle étoit nécessaire à la
femelle pour conserver ses petits, ce seroit sur tout dans les
espéces qui ne vivent que d'herbe, parce qu'il faut fort longtems à la Mére pour paître, et que durant tout cet intervalle
elle est forcée de négliger sa portée, au lieu que la proye d'une
Ourse ou d'une Louve est dévorée en un instant et qu'elle
a, sans souffrir la faim, plus de tems pour allaîter ses petits.
Ce raisonnement est confirmé par une observation sur le
nombre rélatif de mamelles et de petits qui distingue les
espéces carnaciéres des frugivores, et dont j'ai parlé dans la

Note VIII. Si cette observation est juste et générale, la femme n'ayant que deux mamelles et ne faisant guéres qu'un enfant à la fois, voilà une forte raison de plus pour douter que l'espéce humaine soit naturellement Carnaciére, de sorte qu'il semble que pour tirer la conclusion de Locke, il faudroit retourner tout à fait son raisonnement. Il n'y a pas plus de solidité dans la même distinction appliquée aux oiseaux. Car qui pourra se persuader que l'union du Mâle et de la Femelle soit plus durable parmi les vautours et les Corbeaux que parmi les Tourterelles? Nous avons deux espéces d'oiseaux domestiques, la Canne et le Pigeon, qui nous fournissent des exemples directement contraires au Systême de cet auteur. Le Pigeon qui ne vit que de grain reste uni à sa femelle, et ils nourrissent leurs petits en commun. Le Canard, dont la voracité est connue, ne reconnoît ni sa femelle ni ses petits, et n'aide en rien à leur subsistance ; Et parmi les Poules, espéce qui n'est guéres moins carnaciére, on ne voit pas que le Coq se mette aucunement en peine de la couvée. Que si dans d'autres espéces le Mâle partage avec la Femelle le soin de nourrir les petits ; c'est que les Oiseaux qui d'abord ne peuvent voler et que la Mére ne peut alaiter, sont beaucoup moins en état de se passer de l'assistance du Pére que les Quadrupédes à qui suffit la mamelle de la Mére, au moins durant quelque tems.

c. Il y a bien de l'incertitude sur le fait principal qui sert de base à tout le raisonnement de M. Locke ; Car pour savoir si comme il le prétend, dans le pur état de Nature la femme est pour l'ordinaire derechef grosse et fait un nouvel enfant longtems avant que le précédent puisse pourvoir lui même à ses besoins, il faudroit des expériences qu'assurément Locke n'avoit pas faites et que personne n'est à portée de faire. La cohabitation continuelle du Mari et de la Femme est une occasion si prochaine de s'exposer à une nouvelle grosesse qu'il est bien difficile de croire que la rencontre fortuite ou la seule impulsion du temperament produisît des effets aussi

fréquens dans le pur Etat de Nature que dans celui de la
Société conjugale ; lenteur qui contribueroit peut-être à
rendre les enfans plus robustes, et qui d'ailleurs pourroit
être compensée par la faculté de concevoir, prolongée dans
un plus grand âge chez les femmes qui en auroient moins
abusé dans leur jeunesse. A l'égard des Enfans, il y a bien
des raisons de croire que leurs forces et leurs organes se développent plus tard parmi nous qu'ils ne faisoient dans l'état
primitif dont je parle. La foiblesse originelle qu'ils tirent
de la constitution des Parens, les soins qu'on prend d'envelopper et gêner tous leurs membres, la molesse dans laquelle
ils sont élevés, peut être l'usage d'un autre lait que celui de
leur Mère, tout contrarie et retarde en eux les premiers progrès de la Nature. L'application qu'on les oblige de donner
à mille choses sur lesquelles on fixe continuellement leur
attention tandis qu'on ne donne aucun exercice à leurs forces
corporelles, peut encore faire une diversion considérable à
leur accroissement ; desorte que, si au-lieu de surcharger et
fatiguer d'abord leurs esprits de mille maniéres, on laissoit
exercer leurs Corps aux mouvemens continuels que la Nature
semble leur demander, il est à croire qu'ils seroient beaucoup plûtôt en état de marcher, d'agir, et de pourvoir eux-
mêmes à leurs besoins.

  d. Enfin M. Locke prouve tout au plus qu'il pourroit bien
y avoir dans l'homme un motif de demeurer attaché à la
femme lorsqu'elle a un Enfant ; mais il ne prouve nullement
qu'il a dû s'y attacher avant l'accouchement et pendant les
neuf mois de la grossesse. Si telle femme est indifférente à
l'homme pendant ces neuf mois, si même elle lui devient
inconnüe, pourquoi la secourra-t-il après l'accouchement ?
pourquoi lui aidera-t-il à élever un Enfant qu'il ne saît pas
seulement lui appartenir, et dont il n'a resolu ni prévu la
naissance ? Mr. Locke suppose évidemment ce qui est
en question : Car il ne s'agit pas de savoir pourquoi l'homme
demeurera attaché à la femme après l'accouchement, mais

pourquoi il s'attachera à elle après la conception. L'appetit
satisfait, l'homme n'a plus besoin de telle femme, ni la femme de tel homme. Celui-ci n'a pas le moindre souci ni peut-
être la moindre idée des suites de son action. L'un s'en va
d'un côté, l'autre d'un autre, et il n'y a pas d'apparence qu'au
bout de neuf mois ils ayent la mémoire de s'être connus :
Car cette espéce de mémoire par laquelle un individu donne
la préférence à un individu pour l'acte de la génération éxige,
comme je le prouve dans le texte, plus de progrès ou de corruption dans l'entendement humain, qu'on ne peut lui en
supposer dans l'état d'animalité dont il s'agit ici. Une autre
femme peut donc contenter les nouveaux desirs de l'homme
aussi commodément que celle qu'il a déjà connue, et un autre homme contenter de même la femme, supposé qu'elle
soit pressée du même appetit pendant l'état de grossesse, de
quoi l'on peut raisonnablement douter. Que si dans l'état
de Nature la femme ne ressent plus la passion de l'amour
après la conception de l'enfant, l'obstacle à sa Société avec
l'homme en devient encore beaucoup plus grand, puisqu'alors elle n'a plus besoin ni de l'homme qui l'a fécondée
ni d'aucun autre. Il n'y a donc dans l'homme aucune raison de
rechercher la même femme, ni dans la femme aucune raison
de rechercher le même homme. Le raisonnement de Locke
tombe donc en ruine, et toute la Dialectique de ce Philosophe ne l'a pas garanti de la faute que Hobbes et d'autres ont
commise. Ils avoient à expliquer un fait de l'Etat de Nature,
c'est-à-dire, d'un état où les hommes vivoient isolés, et où
tel homme n'avoit aucun motif de demeurer à côté de tel
homme, ni peut-être les hommes de demeurer à côté les uns
des autres, ce qui est bien pis ; et ils n'ont pas songé à se
transporter au-delà des Siécles de Société, c'est-à-dire, de
ces tems où les hommes ont toujours une raison de demeurer
près les uns des autres, et où tel homme a souvent une raison de demeurer à côté de tel homme ou de telle femme.

13. (p. 65). Je me garderai bien de m'embarquer dans les
réflexions philosophiques qu'il y auroit à faire sur les avantages et les inconveniens de cette institution des langues ;
ce n'est pas à moi qu'on permet d'attaquer les erreurs vulgaires, et le peuple lettré respecte trop ses préjugés pour supporter patiemment mes prétendus paradoxes. Laissons donc
parler les Gens à qui l'on n'a point fait un Crime d'oser prendre quelquefois le parti de la raison contre l'avis de la multitude. *Nec quidquam felicitati humani generis decederet, si,
pulsâ tot linguarum peste et confusione, unam artem callerent
mortales, et signis, motibus, gestibusque licitum foret quidvis
explicare. Nunc vero ita comparatum est, ut animalium quœ
vulgô bruta creduntur, melior longè quàm nostra hâc in parte
videatur conditio, ut potè quœ promptiùs et forsan feliciùs, sen-
sus et cogitationes suas sine interprete significent, quàm ulli
queant mortales, prœsertim si peregrino utantur sermone.* Is.
Vossius de Poëmat. Cant. et Viribus Rythmi p. 66.

14. (p. 70). Platon montrant combien les idées de la quantité discrette et de ses rapports sont nécessaires dans les
moindres arts, se moque avec raison des Auteurs de son
tems qui prétendoient que Palaméde avoit inventé les nombres au siége de Troye, comme si, dit ce Philosophe, Agamem-
non eût pu ignorer jusques-là combien il avoit de jambes ?
En effet, on sent l'impossibilité que la société et les arts fussent parvenus où ils étoient déjà du tems du siége de Troye,
sans que les hommes eussent l'usage des nombres et du calcul : mais la nécessité de connoître les nombres avant que
d'acquerir d'autres connoissances n'en rend pas l'invention
plus aisée à imaginer ; les noms des nombres une fois connus,
il est aisé d'en expliquer le sens et d'exciter les idées que ces
noms réprésentent, mais pour les inventer, il fallut avant
que de concevoir ces mêmes idées, s'être pour ainsi dire fami-
liarisé avec les meditations philosophiques, s'être exercé à
considérer les êtres par leur seule essence et indépendamment

de toute autre perception, abstraction très penible, très
métaphisique, très peu naturelle et sans laquelle cependant
ces idées n'eussent jamais pu se transporter d'une espéce ou
d'un genre à un autre, ni les nombres devenir universels. Un
sauvage pouvoit considérer séparement sa jambe droite et
sa jambe gauche, ou les regarder ensemble sous l'idée indi-
visible d'une couple sans jamais penser qu'il en avoit deux ;
car autre chose est l'idée représentative qui nous peint un
objet, et autre chose est l'idée numérique qui le détermine.
Moins encore pouvoit il calculer jusqu'à cinq, et quoique
appliquant ses mains l'une sur l'autre, il eût pu remarquer
que les doigts se répondoient exactement, il étoit bien loin
de songer à leur égalité numérique ; Il ne savoit pas plus le
compte de ses doigts que de ses cheveux ; et si, après lui
avoir fait entendre ce que c'est que nombres, quelqu'un lui
eût dit qu'il avoit autant de doigts aux pieds qu'aux mains,
il eût peut-être été fort surpris, en les comparant, de trouver que cela étoit vrai.

15. (p. 74). Il ne faut pas confondre l'Amour propre et
l'Amour de soi-même ; deux passions très différentes par leur
nature et par leurs effets. L'Amour de soi-même est un sentiment naturel qui porte tout animal à veiller à sa propre
conservation et qui, dirigé dans l'homme par la raison et
modifié par la pitié, produit l'humanité et la vertu. L'Amour
propre n'est qu'un sentiment rélatif, factice, et né dans la
société, qui porte chaque individu à faire plus de cas de soi
que de tout autre, qui inspire aux hommes tous les maux
qu'ils se font mutuellement, et qui est la véritable source de
l'honneur.

Ceci bien entendu, je dis que dans nôtre état primitif, dans
le véritable état de nature, l'Amour propre n'éxiste pas ;
Car chaque homme en particulier se regardant lui-même
comme le seul Spectateur qui l'observe, comme le seul être
dans l'univers qui prenne intérêt à lui, comme le seul juge

de son propre mérite, il n'est pas possible qu'un sentiment
qui prend sa source dans des comparaisons qu'il n'est pas à
portée de faire, puisse germer dans son ame ; par la même
raison cet homme ne sauroit avoir ni haine ni desir de vengeance, passions qui ne peuvent naître que de l'opinion de
quelque offense reçue ; et comme c'est le mépris ou l'intention de nuire et non le mal qui constitue l'offense, des hommes qui ne savent ni s'apprecier ni se comparer, peuvent se
faire beaucoup de violences mutuelles, quand il leur en
revient quelque avantage, sans jamais s'offenser réciproque-
ment. En un mot, chaque homme ne voyant guéres ses semblables que comme il verroit des Animaux d'une autre espèce, peut ravir la proye au plus foible ou ceder la sienne
au plus fort, sans envisager ces rapines que comme des événemens naturels, sans le moindre mouvement d'insolence
ou de dépit, et sans autre passion que la douleur ou la joye
d'un bon ou mauvais succès.

DEUXIÈME PARTIE

16. (p. 96). C'est une chose extrêmement remarquable
que depuis tant d'années que les Européens se tourmentent
pour amener les Sauvages des diverses contrées du monde
à leur maniére de vivre, ils n'ayent pas pu encore en gagner
un seul, non pas même à la faveur du Christianisme ; car
nos missionnaires en font quelquefois des Chrétiens, mais
jamais des hommes Civilisés. Rien ne peut surmonter l'in-
vincible répugnance qu'ils ont à prendre nos mœurs et vivre
à notre manière. Si ces pauvres Sauvages sont aussi malheureux qu'on le prétend, par quelle inconcevable dépravation
de jugement refusent ils constamment de se policer à nôtre
imitation ou d'apprendre à vivre heureux parmi nous ; tandis
qu'on lit en mille endroits que des François et d'autres Européens se sont refugiés volontairement parmi ces Nations, y

ont passé leur vie entiére sans pouvoir plus quitter une si
étrange maniére de vivre, et qu'on voit même des Missionnaires sensés regreter avec attendrissement les jours calmes
et innocens qu'ils ont passés chez ces peuples si méprisez ?
Si l'on répond qu'ils n'ont pas assés de lumiéres pour juger
sainement de leur état et du nôtre, je repliquerai que l'estimation du bonheur est moins l'affaire de la raison que du
sentiment. D'ailleurs cette réponse peut se retorquer contre
nous avec plus de force encore ; car il y a plus loin de nos
idées à la disposition d'esprit où il faudroit être pour concevoir le goût que trouvent les Sauvages à leur maniére de
vivre, que des idées des sauvages à celles qui peuvent leur
faire concevoir la nôtre. En effet, après quelques observations il leur est aisé de voir que tous nos travaux se dirigent
sur deux seuls objets ; savoir, pour soi les commodités de la
vie, et la considération parmi les autres. Mais le moyen pour
nous d'imaginer la sorte de plaisir qu'un sauvage prend à
passer sa vie seul au-milieu des bois ou à la pêche, ou a souf-
fler dans une mauvaise flûte, sans jamais savoir en tirer un
seul ton et sans se soucier de l'apprendre ?

On a plusieurs fois amené des Sauvages à Paris, à Londres,
et dans d'autres villes ; on s'est empressé de leur étaler nôtre
luxe, nos richesses, et tous nos arts les plus utiles et les plus
curieux ; tout cela n'a jamais excité chés eux qu'une
admiration stupide, sans le moindre mouvement de convoi-
tise. Je me souviens entre autres de l'Histoire d'un chef de
quelques Américains septentrionaux qu'on mena à la Cour
d'Angleterre il y a une trentaine d'années. On lui fit passer
mille choses devant les yeux pour chercher à lui faire quelque présent qui pût lui plaire, sans qu'on trouvât rien dont
il parut se soucier. Nos armes lui sembloient lourdes et in-
commodes, nos souliers lui blessoient les pieds, nos habits
le gênoient, il rebutoit tout ; enfin on s'apperceut qu'ayant
pris une couverture de laine, il sembloit prendre plaisir à
s'en envelopper les épaules ; vous conviendrez, au moins,

lui dit-on aussi-tôt, de l'utilité de ce meuble? Oui, répondit-il, cela me paroît presque aussi bon qu'une peau de bête. Encore n'eut-il pas dit cela, s'il eût porté l'une et l'autre à la pluye.

Peut-être me dira-t-on que c'est l'habitude qui attachant chacun à sa maniére de vivre, empêche les sauvages de sentir ce qu'il y a de bon dans la nôtre : Et sur ce pied-là il doit paroître au moins fort extraordinaire que l'habitude ait plus de force pour maintenir les sauvages dans le goût de leur misére que les Européens dans la jouissance de leur felicité. Mais pour faire à cette derniére objection une réponse à laquelle il n'y ait pas un mot à repliquer, sans alleguer tous les jeunes sauvages qu'on s'est vraiment efforcer de Civiliser; sans parler des Groenlandois et des habitans de l'Islande, qu'on a tenté d'élever et nourrir en Dannemarck, et que la tristesse et le desespoir ont tous fait périr, soit de langueur, soit dans la mer où ils avoient tenté de regagner leur pays à la nage ; je me contenterai de citer un seul exemple bien attesté, et que je donne à examiner aux admirateurs de la Police Européenne.

« Tous les efforts des Missionnaires Hollandois du Cap de
» Bonne Espérance n'ont jamais été Capables de convertir
» un seul Hottentot. Van der Stel, Gouverneur du Cap, en
» ayant pris un dès l'enfance le fit élever dans les principes
» de la Religion Chrétienne, et dans la pratique des usages
» de l'Europe. On le vêtit richement, on lui fit apprendre
» plusieurs langues, et ses progrès répondirent fort bien aux
» soins qu'on prit pour son éducation. Le Gouverneur espé-
» rant beaucoup de son esprit, l'envoya aux Indes avec un
» Commissaire général qui l'employa utilement aux affaires
» de la Compagnie. Il revint au Cap après la mort du Com-
» missaire. Peu de jours après son retour, dans une visite
» qu'il rendit à quelques Hottentots de ses parens, il prit le
» parti de se dépouiller de sa parure Européenne pour se
» revêtir d'une peau de Brebis. Il retourna au Fort, dans ce

» nouvel ajustement, chargé d'un pacquet qui contenoit ses
» anciens habits, et les présentant au Gouverneur il lui tint
» ce discours*. *Ayez la bonté, Monsieur, de faire attention*
» *que je renonce pour toûjours à cet appareil. Je renonce aussi*
» *pour toute ma vie à la Religion Chretienne, ma resolution*
» *est de vivre et mourrir dans la Religion, les maniéres et les*
» *usages de mes Ancêtres. L'unique grace que je vous demande*
» *est de me laisser le Collier et le Coutelas que je porte. Je les*
» *garderai pour l'amour de vous.* Aussi-tôt sans attendre la
» réponse de Van del Stel, il se déroba par la fuite et jamais
» on ne le revit au Cap ». *Histoires des Voyages Tome* 5. p. 175.

17. (p. 103). On pourroit m'objecter que dans un pareil
desordre les hommes au-lieu de s'entre-égorger opiniatré-
ment se seroient dispersés, s'il n'y avoit point eu de bornes
à leur dispersion. Mais premiérement ces bornes eussent au
moins été celles du monde, et si l'on pense à l'excessive population qui resulte de l'Etat de Nature, on jugera que la terre
dans cet état n'eût pas tardé à être couverte d'hommes ainsi
forcés à se tenir rassemblés. D'ailleurs, ils se seroient dispersés, si le mal avoit été rapide et que c'eût été un changement fait du jour au lendemain ; mais ils naissoient sous le
joug ; ils avoient l'habitude de le porter quand ils en sentoient
la pesanteur, et ils se contentoient d'attendre l'occasion
de le secouer. Enfin, déjà accoutumés à mille commodités
qui les forçaient à se tenir rassemblés, la dispersion n'étoit
plus si facile que dans les premiers tems où nul n'ayant besoin que de soi-même, chacun prenoit son parti sans attendre le consentement d'un autre.

18. (p. 106). Le Marechal de V... contoit que dans une de
ses Campagnes, les excessives friponneries d'un Entrepre-
neur des Vivres ayant fait souffrir et murmurer l'armée, il

---

* Voyez le frontispice.

le tança vertement et le menaça de le faire pendre. Cette
menace ne me regarde pas, lui repondit hardiment le fripon,
et je suis bien aise de vous dire qu'on ne pend point un homme qui dispose de cent mille écus. Je ne sais comment cela
se fit, ajoûtoit naïvement le Mareschal, mais en effet il ne
fut point pendu, quoiqu'il eût cent fois mérité de l'être.

19. (p. 120). La justice distributive s'opposeroit même à
cette égalité rigoureuse de l'État de Nature, quand elle seroit pratiquable dans la société civile ; et comme tous les
membres de l'Etat lui doivent des services proportionnés à
leurs talens et à leurs forces, les Citoyens à leur tour doivent
être distingués et favorisés à proportion de leurs services.
C'est en ce sens qu'il faut entendre un passage d'Isocrate
dans lequel il loue les premiers Athéniens d'avoir bien su distinguer quelle étoit la plus avantageuse des deux sortes d'é-
galité, dont l'une consiste à faire part des mêmes avantages
à tous les Citoyens indifféremment, et l'autre à les distribuer
selon le mérite de chacun. Ces habiles politiques, ajoûte l'o-
rateur, bannissant cette injuste égalité qui ne met aucune
différence entre les méchans et les gens de bien, s'attachérent
inviolablement à celle qui récompense et punit chacun selon
son mérite. Mais premiérement il n'a jamais existé de société,
à quelque degré de corruption qu'elles aient pû parvenir,
dans laquelle on ne fît aucune différence des méchans et des
gens de bien ; et dans les matiéres de mœurs où la Loy ne
peut fixer de mesure assés exacte pour servir de régle au
Magistrat, c'est très sagement que, pour ne pas laisser le
sort ou le rang des Citoyens à sa discretion, elle lui interdit
le jugement des personnes pour ne lui laisser que celui des
Actions. Il n'y a que des mœurs aussi pures que celles des
Anciens Romains qui puissent supporter des Censeurs, et de
pareils tribunaux auroient bientôt tout bouleversé parmi
nous : C'est à l'estime publique à mettre de la différence
entre les méchans et les gens de bien ; le Magistrat n'est juge

que du droit rigoureux ; mais le peuple est le veritable juge
des mœurs ; juge intégre et même éclairé sur ce point, qu'on
abuse quelquefois, mais qu'on ne corrompt jamais. Les rangs
des Citoyens doivent donc être réglés, non sur leur mérite personnel, ce qui seroit laisser au Magistrat le moyen de faire
une application presque arbitraire de la Loi, mais sur les services réels qu'ils rendent à l'Etat et qui sont susceptibles
d'une estimation plus exacte.

DISCOURS SUR L'ORIGINE
ET LES FONDEMENS
DE L'INÉGALITÉ PARMI LES HOMMES

Présentation   5

A la République de Genève, dédicace   17

Préface   31

Avertissement sur les Notes   39

DISCOURS   41

  Première partie   47

  Seconde partie   87

Réponse [à Voltaire] du 10 septembre 1755   129

Lettre de J.-J. Rousseau à M. Philopolis   135

Réponse à un naturaliste   145

Notes   147

ACHEVÉ D'IMPRIMER LE
4 NOVEMBRE 1969 SUR LES
PRESSES DE L'IMPRIMERIE
BUSSIÈRE, SAINT-AMAND (CHER)

— N° d'édit. 14660. — N° d'imp. 1472. —
Dépôt légal : 4e trimestre 1969.
Imprimé en France